我们相爱 就是为民除害

牛魔王小姐—— 著

中国友谊出版公司

最好的爱人是这样的，
他在你说没事的时候，知道你不是真的没事，
在你强颜欢笑的时候，知道你不是真的开心。

在我们相爱的最初，我认为的情爱是博弈，是带刺的我想靠近他却刺痛他，是带有满腔热血的我想靠近他却燃烧他。

愿从某天起，我只是他逗留的旷野，他可以抱着我在草地上咕噜咕噜地打滚，我们一起滚落到春天里。

往后的漫长岁月里，我们要一起烤火，一起拥抱，一起抵抗生命的平庸，一起品味生活的柴米油盐，也要一起做一个庸庸碌碌却充满希望的人，一起应对生活给每一个人设下的不同关卡。

　　可是这些都没关系，我只知道从此往后的每一天，醒来时你都在我身边。

目 录

写给牛魔王小姐的一封信

嗨，小丫头！

这封信我本来打算八十岁再写给你的，那时你躺在摇椅上眯着眼睛晒太阳，让我把信念给你听。然后我戴上老花镜，打开信，清清嗓子，念起……《给牛魔王大妈的一封信》，你说你听了会不会从摇椅上跳起来揍我？

真的好希望我们能永远打打闹闹到七老八十啊，我会生气你会赌气，我讲的有些老掉牙的笑话连狗听了都不叫，可你总是会很配合地哈哈大笑，你的那些烂梗我觉得全世界只有我一个人能接得住，还有啊，看你写的这本书里那些关于"我欺负你"的故事，我竟有种当时没发挥好的感觉……

说来也真奇怪，从前的我志向还挺远大的，可和你在一起的这十年让我觉得，如果一生就这样和你一起走过，也莫不是一场荣幸。你不会做饭，可你会在我每个加班的夜晚守着一锅热粥等我回家；你不会织毛衣，可你会在冬天悄悄来临之前织好一条超丑的围巾给我一个甜蜜的负担；你化妆技巧不高，可你会在我的脸上练习涂睫毛膏和刷腮红……我想你可能还会数落我一辈子的臭袜子，给我的便当盒里加一辈子的水煮蛋，责备我一辈子的不爱爬山，比我早起一辈子的十分钟给我做早饭。还有啊，还有就是这一辈子你都有我在你身边。

　　如果我们八十岁时真的有一天会这样，你啃不动玉米了，你听不清我说的悄悄话了，你不能再朝我飞奔过来然后扑到我怀里了，你不要害怕，你永远都是我心里的那个小丫头。

　　真的，我从来都不是聪明勇敢又天赋较高的人，可是我拥有你的时候，我觉得我拥有了全世界。

最爱你的　菜花

菜花先生
和
牛魔王小姐的

恋爱日常

001

我俩一起看某国产电视剧，电视剧里的男主角深爱着女主角，可是又因为一系列我们这些平民无法理解的原因不能去追玛丽苏女主角，于是他约了一大群朋友喝酒排遣苦闷。

电视里的朋友们纷纷劝男主角："你现在不去追她，你会后悔的，等你老了，坐在火炉边，一边烤火一边回忆着过去的时候，你最后悔的事情，不是你已经做错和做过的事情，而是你能做却一直没有做的事情。"

我感慨："是啊，人一生最后悔的事情，不是你已经做错和做过的事情，而是你能做却一直没有做的事情。"

菜花："是啊。"

过了一会儿，我突然问他："等你老了，你会怎么办？"

"什么怎么办？"

"等你老了，坐在火炉边，一边烤火一边回忆过去，想起那些你想追而没去追的女孩……"

菜花淡淡地回答："哦，我不烤火。"

002

四月一日那天，晚上下班后我和菜花先生一起逛商场，他在商场三楼给我买了条裙子，下楼一起站在电梯上时，他突然伏到我耳边："媳妇儿，这个算是愚人节礼物哦！"

我一愣："啊？对哦，今天是愚人节，我都没记得！"

但说归说，其实我心里还是挺得意的，菜花先生为人夫以后，真是有效落实了"所有的节日都是媳妇儿的节日"这一好政策。

接着我嘿嘿地笑："有节日大家一起过，我送你什么好呢？"

他笑得特狡猾："不不不，我们智者不需要过愚人节。"

003

菜花先生和我是小学同学，小时候发生了一些事情，让他死死记住我是那个外号叫"牛魔王"的小姑娘。

后来我们去了不同的学校读中学，也失去了联系，那时后知后觉的他才发现自己的心早已在童年的某个时刻萌动，被已经不记得名字的我占领。

在高中毕业的那年暑假，我们才机缘巧合地重新联系起来。

不得不说，那时菜花先生的撩妹技巧还停留在小学水平。

那时我们的关系仅限于是失散十年又重逢的小学同学，对于我来说没什么特别的，可很莫名其妙的，在某个盛夏的夜里，他非要拉我去公园吃草莓冰激凌。

我们俩并肩坐在人民公园的一棵大榕树下，透过树叶的缝隙，有星星在夜空眨眼。他手里的冰激凌化成一团，可他还是故作镇定："我给你讲个小故事吧？"

"好呀。"

"从前呢，有两个小人，一个叫我喜欢你，一个叫我不喜欢你，后来呢，那个叫我不喜欢你的小人死了，剩下那个叫什么？"

他坐在一旁自在地哼着跑调的小曲，以掩饰人生中第一次表白的尴尬和紧张，我舔一口冰激凌，夏天夜晚的风拂过我们年轻的脸。

我不怀好意地眨眨眼："剩下的那个？应该叫幸存者吧。"

在这件事过去后的半年，我们在一起了，菜花先生和牛魔王小姐的故事也就悄悄开始了。

004

大学的时候我们异地恋，我在南京上学，他在北京，相距一千多公里，差不多十四个小时的火车硬座。

大二的时候我们上物理课，其实在高中时我的物理成绩就很差劲儿，经常和及格线打擦边球，高考时我的物理成绩是冒了卫星才不至于拖后腿。

那年第一次期中考试，一出考场我就傻眼了，我知道我的物理肯定又砸了，我辛辛苦苦准备了一个月，到头来还不如别人临考前随便翻几下子书。

考完后，我给菜花打电话，强装着笑，说我准备了好久的物理这次又欺负我，我肯定和物理命中相克哈哈……

他没笑，只是在电话那头问我真没事吗。

我鼻子一酸，但还是很努力地憋回眼泪："没事儿。"

几天后成绩出来，那天杨柳吹拂，春光正好，我却一个人跑到学校旁的湖边大哭。突然间听到我背后传来一阵熟悉的声音："当时是谁信誓旦旦地说没事哦。"

一转头，他特别温柔地看着我。

曾听有人说过，最好的爱人是这样的：他在你说没事的时候，知道你不是真的没事，在你强颜欢笑的时候，知道你不是真的开心。

他就是这样的人。我任何一点努力隐藏的不堪或者委屈都能被他轻易看透。

005

他大四那年在北京找实习的时候，我们还是异地恋。一天晚上我们一边视频，他一边在网上填简历。

刚开始是选择题，他在视频那头念，我在这边嘻嘻哈哈地替他作答。

他："我是一个勇于承担的人吗？"

我："是啊，我长胖了以后，你给我拍照都不好看了，可是你很大方地承认是自己拍照水平不行了啊。"

……

他："我是一个多愁善感的人吗？"

我："是啊，不知道是谁异地恋的时候每次分别，都要把头埋在我颈窝里偷偷哭。"

……

他："我是一个坚持到底的人吗？"

我："是啊，小学毕业以后你坚持了六年不联系我。"

……

后来他觉得我存心捣乱，就不念给我听了，一直到问答题环节他才喊我。

他："说出我的三个优点？"

我："学习好，长得帅，个子高！"

他："认真点！"

我："稳重，幽默，温和。"

他："你确定？"

我："对呀。"

他："难道我最大的优点不是在千千万万人之中，选择了你？"

006

我们刚在一起的那个假期，菜花带我去他家玩，家里没人，下午我们俩一起做饭吃。我们从网上找了菜谱，又买了西红柿鸡块芹菜黄瓜什么的。

我把黄瓜切得有五厘米厚，他问我是吃黄瓜还是在做黄瓜炸弹？

我放下黄瓜去切西红柿，结果把西红柿的汁水搞得满地都是，他又说刚才我做的黄瓜炸弹炸伤了人流了很多血，厨房里就是案发现场。

无奈之下我去择芹菜，把能吃的那一截扔到了垃圾桶，把不能吃的那一截放进了菜篮子，他赶紧阻止我："你就是这样给我方战友做饭的吗？您是敌方派来的间谍吧？"

后来他从菜篮子抽出一截不能吃的芹菜，在地上画了个圈，让我站在圈里："你站在这里不要出来，就看看就好了。"

于是我站在一旁一边照看着炖锅一边偷偷看他切黄瓜的侧脸。

长长的睫毛，一眨一眨的眼睛，专注的神情。我记得那天外面有很好的阳光，我们开着窗，风偶尔会吹进来。

我就那么看着他，觉得岁月静好，也不过就是如此了。

007

领证那天一起从民政局出来，他笑得还像许多年前那个小男孩一样。那天粉紫色的天空铺排着云朵，像奶油冰淇淋一样柔软美好。

我开玩笑："你还没向我求婚呢，我就这么稀里糊涂被你骗到手了！"

"那你说怎么办？"

我看看他载我来的那辆破自行车："你骑车载我五十公里，这就算求婚了！"

他说行，然后让我上车。

那天我坐在他车后，懒懒的阳光蹭着我的脸，我从后面双手环住他的腰，他载着我从鼓楼一路向北骑，一直骑上了南京长江大桥。

其实我对距离毫无概念，五十公里只是随口一说。后来刚骑过长江我就喊够了够了我们要回家吃饭啦，可他装作没听见，一声不吭地继续往北。

我问他累不累。

他一边喘气一边说不累，他还说等我老了要骑车带我绕地球一圈。

那天我们从下午四点一直骑到晚上九点，沿途经过了十九个红绿灯，一直骑到一个叫长芦的地方。

我跳下车站在大马路边大笑："要是有人问我领结婚证是什么感觉，我一定要说是很饿的感觉。"

他忽然抱紧我："你陪我走过这么多，我从来都没给过你什么。"

"你给了我爱啊。"我伸手抹了抹他的眼镜片，他额头上滴下来的汗水都把眼镜弄糊了，"爱是多奢侈的一件事啊。"

008

菜花先生这个人外表冷冰冰的，也不喜欢过问和自己无关的事情，认识他的人都以为他是个行走的大冰柜。可只有我知道，他心里装着很多感情，胸膛里的小火苗一审一审的，还总是一副不动声色的样子。

婚后第二年的一个寻常日子，他在洗澡，我在卧室玩电脑，电脑上挂着他的QQ。忽然他QQ"嘀嘀"一闪，是他同事给他发消息，他在浴室里让我把消息念给他听，然后再帮他回一下。

就在我点开他QQ主页的时候，无意间瞥到了一个和他头像一模一样的号。

我心里一沉，愣了几秒钟后还是装作没看到，然后镇定地向他复述他同事发来的消息。

几天过后我终于控制不住，在一个他加完班回家的夜晚歇斯底里地问他："你QQ里的那个头像跟你一样的号到底是怎么回事？"

他一愣，大概是从来没见过我这个样子。"老早就不用了。"

我小心翼翼地问："那我可以看一下吗？"

他停顿一会儿："可以不看吗？"

我的眼泪在那一刻，刷一下就流下来了……

他看了我一眼，然后沉默着去开电脑，然后很流畅地输入那个号的账号和密码。我的心也在那一刻凉到极点，甚至都想好了等一会儿离开家时要打包哪些衣服。

可能是因为长时间不登陆，还要输验证码，在他输错一次以后，我惊慌地拉住他的手："不看了不看了，我不想看了，我们忘记这件事好吗？"

他没理会我，继续输入验证码登录。

这次登陆成功。我哭花了脸鼓足勇气看那个QQ的页面，心想着该来的总会来，这个爱我如生命的男人曾陪我走过生命的一程已经很足够。

等我定睛一看，才看到……这个QQ里没有联系人，QQ空间里也没有访客，只有静静躺着的一句话：牛魔王，我好想你！

按时间推算，写下这句话的那年，我们高一。

009

初夏的周末我们一起放假在家，慵懒的午后，阳光透过窗子洒进来，暖融融的，红瓤西瓜切了一半摆在书桌上，勺子插在当中，音响里放的是叶倩文的《珍重》。

我捧着一本《水浒传》倒在书房的懒人沙发上，他在一旁电脑上处理工作上的事情。我看到有趣的段落会停下来念给他听，然后他离开椅子去挖一勺西瓜吃，我们再一起相视而笑。

其实我觉得《水浒传》挺难读的，主要是这种行侠仗义实在不是我的菜。中学时代里，我从没看过《水浒传》的电视剧，也从没完整地读过这本书。

后来和他在一起，他总告诉我读书不能只读情感，生活里还有刚正和硬朗，我不能变成一个泡在情绪废液缸里的姑娘。

于是我就那样开始重新读起《水浒传》，读到后面我突发奇想地问他："你说我这性格比较像一百零八个好汉里面的哪一个？"

他想了一会儿："鲁智深。"

"嗯……胆大心细，爱憎分明，确实挺像我的。"

他顿了顿："我是说……大口吃肉挺像你的。"

"……"

我就是在那个夏天一点点地把我从前最读不下去的《水浒传》读完的。

我想最好的爱情大概就是这样，我们一起分享午后慵懒的时光，一起分享情歌里的同一段旋律，一起分享鲜红的西瓜和甜蜜的味道，一起分享往后的漫漫时光。

010

有次我去一个比较远的城市出差，要去五天。

我临走前给他搭配好几件衣服挂在衣橱里，我还专程去超市买了速冻饺子和速食面之类的装满了冰箱，他有时候会加班回家晚，我去出差可没人给他热饭了。再把垃圾袋换上新的，把他经常要喝的茶叶从柜子里拿出来摆在茶几上，电视遥控器也放在显眼的位置。

一切都打理好后，我笑笑自己："不就是出差几天嘛，怎么这么多放心不下。"

原来爱一个人久了，心就会每时每刻地被他占有，而自己却浑然不知。

出差的第四天晚上他给我发微信："老婆老婆告诉你一个小秘密哦！"

天呐，我想起我走前牙膏要用完了，他不会是找不到我上次买的新牙膏了吧！或者是冰箱里的东西都被他吃完了，我走前怎么不再多买点啊！难道是下雨了他没找到伞在鞋柜上的抽屉里，然后淋雨了？

我着急地回复："什么小秘密？"

"你要听好了哦！"

"好的。"

"你不要忘记哦！"

"好的。"

"如果你不喜欢这个小秘密，不要怪我哦！"

我终于忍不住了，如果微信能传递我的河东狮吼，我家那栋房子那晚准保不住。"到底是什么小秘密？！"

"全世界加起来都没有你可爱。"

再见
小时候

001

菜花同学在小学四年级的时候和我一个班，那年我俩十岁。

那时候的他在小小的年纪就表现出了惊人的领导才能，他在我们班创立了一个帮派，叫麒麟帮。这个帮派做过的唯一一件事就是帮派成员把自己的课外书拿出来跟其他成员一起分享。

那时候我们班同学都以能加入麒麟帮为豪，入帮只有一个途径——拿出自己的五本课外书贡献给帮派。

我把我所有的课外书都拿出来，才好不容易凑齐了五本书去找菜花同学，他想了半天，把那本《安徒生童话》退给我说："我们已经不是儿童了，不能看童话，你这本书不合格。"

所以我没能如愿入帮。

第二天早上，我在我家卫生间的暖气片上找到了本《知音》，我喜出望外地带去学校，然后顺利入帮。

很快，《知音》就在我们班传看起来，里面的故事传奇又动人心魄，为那年十岁的我们推开了一扇新世界的大门……

不过班主任也发现了这本书，他根据这本书顺藤摸瓜，成功地把麒麟帮一举端灭了。紧接着他把帮主菜花同学叫到办公室，问了他关于拉帮结派的一些情况，不过到最后也没问出那本《知音》是谁的。

十岁那年的我，对菜花同学的感激和崇拜之情顿时爆棚。觉得他一点也不亚于面对铡刀面不改色的刘胡兰。

我多年后再提起这事时，菜花只是淡淡地说："我当时真的忘了那本《知音》是谁的。"

然后他又激动地补充："但是我十岁的时候就保护你了啊。"

麒麟帮的故事是有后续的，后来班主任觉得我们出发点是好的，于是给帮派换了个名字，叫麒麟学习小组，菜花同学是小组长。

002

四月春浓的时候，菜花同学生了水痘。那时候班里一有同学出水痘，老师就让他请假回家休养以防传染给别的同学。

于是在某天早上，我突然发现菜花同学的课桌空了。我跑去问老师，老师只是简单地告诉我说他生病回家了，没告诉我菜花同学生的什么病，也没告诉我他还会不会回学校上课。

可是在我小小的心里，我是很怕再也看不到他的，毕竟他没有向老师供出那本《知音》是我的，我还没来得及报答他。

后来我得知班里一个同学是菜花同学的邻居，我给了他三个大白兔奶糖，他答应我放学后带着我去他家看望他。那天放学之前，我匆匆忙忙从作业本上撕了一张纸，想了半天，最后一笔一画写下：祝你长命百岁！我还在后面用红圆珠笔画了一个少女心满满的"桃心"。

我带着那张纸条到了他家门口，可是又怯懦起来了。我不敢敲门，想起他面对班主任的威逼利诱，仍然紧咬牙关，面不改色，然后镜头切换，伴随着利刃"刺"的一声，鲜红的血液迸出来……他可是为了我才牺牲的啊！

小时候的抗战剧对我影响至深，我甚至还一度以为班主任秘密迫害了菜花同学。

思来想去，最后我小心翼翼把那张纸从他家门缝下塞了进去。

许多年后我第一次去菜花家时，我在菜花卧室的书桌里发现了我当年塞进门缝的那张纸。

这个世界真是太让我惊讶了，我激动地问他："你难道当时就知道是我写的纸条？"

他摊摊手："不知道啊。"

我不高兴："那你怎么一直留着？"

"小时候一个小女孩关心我一下，我当然要留作纪念啊，难道你还要吃醋啊？"

记得那时候我们刚学了钢笔字，纸上钢笔的墨迹已经开始晕染，那个桃心依旧明亮，我放下纸条。"祝你长命百岁哦。"

他拿过纸条，又小心地收好。"你也要百岁啊，我不要一个人想你，会很孤独的。"

003

菜花同学病好重返课堂后，我虽然开心了一整天，但是问题也很快随之而来……因为他一段时间没上课，他的作业都不会做。

都说爱一个人是卑微的，其实被人抓住小辫子要比爱还卑微。为了能让他永远替我保密《知音》的事，我就自告奋勇地提出……我来替他抄作业。

大概就是替他抄作业的那个星期，班里的小男生给我起了个无比难听的外号，叫"牛魔王"。这个我很讨厌的外号绝对有我妈一份功劳，因为那时候我留长头发，半长不短的那阵子我妈给我扎着羊角辫，这个外号就是拜我外形所赐。

结果菜花同学有一天神经兮兮跑到我跟前，特别大声地说："他们都悄悄地叫你牛魔王。"然后又特小声只让我一个人听见，"你替我抄作业，你是好人，我不这么叫你。"

这是我人生中，被发的第一张好人卡。

004

六一儿童节的时候我们班要表演个话剧。话剧里有个主角是农夫，让我们班长演，还有个角色是公主，让我们班会跳舞的那个小女孩演，其他人都是群众演员。

老师让当时在教室里坐前三排的同学演小草，这些小草们只需要在台上从头站到尾就行了。安排第四排的同学演兔子，兔子要在农夫锄地的时候蹦蹦跳跳地上台，再在公主进场的时候蹦蹦跳跳下台。第五排同学个子高力气大，他们的主要任务是在表演结束时使劲鼓掌。

表演小草的同学要举两片假叶子，表演兔子的同学要带着兔耳朵帽子，穿白丝袜。那时我坐在第三排，菜花同学坐在第四排。

排练了几次以后，我主动提出要跟菜花同学互换角色，他来演小草，我来演兔子，他毫不犹豫地就跟我换了。

菜花说在后来的人生中，他一想起那个跟他换角色，解救他于万恶的兔耳朵和白丝袜之中的善良小女孩，他就对生命充满了感激。

我满脸黑线："说真的，我当时只觉得你上台和下台的时候都不蹦蹦跳跳，很影响我们节目的表演效果，我是为了班级荣誉才跟你换的。"

005

很快我们就一起升了五年级，第一节自然课上，老师给我们讲地震，还讲了很多关于地震发生后的自救办法，他在课上说了一句话："人不吃饭能活三十天，不喝水只能活五天。"

我当时就当耳旁风听过去了。

可是菜花同学听了后真是醍醐灌顶，从那天起，他开始每天接满满一瓶矿泉水放在课桌上，随时为地震的来临而准备着。

他甚至还跑去请求班主任，让老师号召大家每个人都准备一瓶水，不过班主任只在班里表扬了菜花同学上课听得仔细，其他什么也没说。

我的印象中，在我们小学毕业前，他都对这个习惯矢志不渝地坚持着。

长大后再见到他时，他已经不再在课桌上摆一瓶满满的矿泉水了，我问他是什么时候放弃这个习惯的。

他想了半天对我说："小学毕业以后吧……因为小学毕业后我知道，我想要保护的你，不在我身边了。"

"你为什么要保护我？"

他嘴犟："不保护你谁来替我演兔子？"

006

菜花同学在小学五年级时做了一件惊天动地的大事，让他一下子在全校都出了名。

那时候学校的旗杆是铁杆子，某天不知他出于什么想法，竟然打起了爬旗杆的主意。在全校扬名。怪就怪在他太擅长攀爬了，他一口气爬了三四米高，就在他准备打道回府时，不敢下来了。

碰巧，学校的一位体育老师经过，他喊住了体育老师，据说他当时哭声震天响，一把鼻涕一把泪地抹在旗杆上，对着老师大喊救命。

老师驻足观望片刻，觉得没有别的法子救他，就伸开双臂，让菜花同学自己跳下来。可他哪里敢啊，体育老师在下面劝了好久，安慰了好久，周围看热闹的同学们也越聚越多，菜花也就越来越不敢。

僵持了很久以后……

没有一丝丝顾虑！没有一丝丝防备！你就这样的出现……菜花同学，自己突然跳了下来！生生地砸进了老师怀里。

　　然后一群小学生出动，跟蚂蚁搬家似的把倒在地上的体育老师挪去了医务室。

　　我每次都要把这个我们小学时人尽皆知的事迹当笑话讲出来，菜花对自己的英雄事迹很不屑一顾："别提了，还不是因为我爬在旗杆上头的时候忽然看见她跑过来看热闹了。"

　　"谁啊？"

　　"还能有谁！"说完，他瞪了我一眼。

007

　　过年回家在婆婆家吃饭，婆婆无意间谈起，说菜花还是小学生的时候，别的小男孩都在耍刀弄枪，他躲在房间里像得到一本武功秘籍一样不出来，他爸爸好奇推开房门，只见他在苦练橡皮筋……婆婆一说，我们都笑了，就只有菜花一个人闷头吃饭。

　　我心领神会地看了菜花一眼，想起小时候一件事。

　　小学时候女孩子会聚在一起跳皮筋踢毽子，男孩子们也聚在一起拍卡片丢石子儿，他们互相井水不犯河水。可是这个千古流传下来的自然规律被五年级的菜花小同学打破了。

某天我正在和几个同学一起跳橡皮筋，菜花同学忽然带领一群男生跑过来，说要加入我们一起玩。我们当然不愿意："橡皮筋是我们女生玩的，你们不会！"

菜花同学站出来，大义凛然："我会，我跳给你们看！"

"来！你跳！"女生们七嘴八舌叽叽喳喳地撑起橡皮筋。

没想到的是……他真的跳起来了，而且他跳的真是让人叹为观止！我敢说我今生再也不会见到第二个腿脚比他灵活的小男生了。

我们同意让他加入游戏，可他带领来的那群男生都不会跳，我们不允许那群男生加入，后来菜花同学迫于压力，也只好放弃了这来之不易的机会。

饭后我悄悄地，几乎是咬着耳朵问他："你还想不想跳橡皮筋啦？"

我看到他的脸，唰的一下，红到了耳根。

008

六年级是小学最后一年，一群屁颠屁颠的小屁孩们也忽然因为学习而变得争强好胜起来。别人都不喜欢数学，可菜花同学简直对数学是感恩戴德，因为他那点聪明劲儿，就只够他在数学考试成绩出来的时候嘚瑟一会儿了。

那时候他经常考满分，当然他周围还围坐着一群99分，98分，97分……每次成绩下来，他都要不停地问周围的同学多少分。

问他左边的，人家回答说："99分。"

"哦，我100。"

问他右边的，人家回答说："94分，没你高。"

"我知道没我高，我就是问问。"

问他前面的，人家回答说："不想告诉你。"

"小气鬼！没我高还不告诉我啊！"

是不是每个小男孩小时候都贱兮兮的呢？他们这种生物大概早有预感，长大后要背起礼义忠孝的担子，"贱"只能在小时候玩弄。

当他问到我时，我聪明地扭过头装作没听见。岂料，我真是低估他烦人的本领啊，他把我的卷子直接抢走了，然后就看到了红笔大字"97"分。

我很生气："我就是没你高啊！"

他把卷子退回来："哦，你……加油！"

菜花后来说自从四年级时我替他穿了白丝袜演了兔子后，他就觉得我无比善良，他的原话是这样的："我妈说不能欺负善良的人！"

009

后来有一次考试题特难，菜花同学出师不利没考好，93分，我们班第二名。我那次考了94，破天荒地考了第一。

那天是年仅十二岁的我第一次在实战中理解了扬眉吐气的意思，那天也是我第一次，肩负起为群众出门"恶气"的重担。

他乖乖闭着嘴，不问我们都考了多少分了，于是我准备主动发起攻击。

"我94分，你呢？"

"93分。"

我一下喜上眉梢，革命任务已完成："我比你多考1分。"

菜花同学镇定下来，一副大人讲道理全都是理的模样："考试那天早上我妈给了我一根火腿肠和两个鸡蛋，我没吃火腿肠，所以没考好！"

我一下子蔫下来，有点后悔替群众出头。毕竟他当初没有向班主任供出那本《知音》是我的，也没有在上次考试比我考得好时"欺负"我。

更重要的是，那根火腿肠是我吃的。那天早上我起晚了没来得及吃早饭，菜花同学就默不作声地把那根火腿肠放在了我的课桌上。

010

虽然在学校里，菜花同学能用区区一个数学成绩就称王称霸，可是在家里他一直扮演着一个用知识伪装脑残的儿童。

有次菜花同学下课后回到家，看到他妈妈在家缝被子，是一个松柏图案，他死活不让他妈妈继续缝下去，追问原因，他一副知识分子的派头："松柏不是被子植物。"

011

班里有个同学给班主任打小报告，他说菜花同学总盯着我看。那时候一个小男生总看一个小女生是违反纪律的。

菜花同学义正词严地当堂反驳："自然老师说绿色对眼睛好，要多看绿色的树叶和草地。现在是冬天，叶子都落光了，只有她天天穿绿色的羽绒服。"

然后他抬起手臂，像指认犯罪现场一样指向了我，全班的目光都遵循他的指尖，齐刷刷地看向我。

坐在教室里的每个人，脸上都洋溢着一种意味深长的窃喜。

012

从那以后，菜花同学就越发地光明正大起来。

那时候他喜欢从家里带来各种各样的零食分给班上的同学吃，所以小学时候的菜花，虽然贱兮兮的，但是他还是靠这些浣熊干脆面，大大泡泡糖，唐僧肉老虎肉之类的，收买了不少人心。

每次他带来零食都要说："这些大家都可以吃。"然后指着我，霸道总裁脸，"你可以吃完。"

为了彰显我的特权，每次我也是把"我可以吃完"这句话认真执行完毕。所以小学最后那一年，别的同学都在长高，只有我是实实在在……长身体。

他说这是他小时候做得最机智的一件事了，把我喂胖，然后让我错过以貌取人的早恋的机会，然后守着庞大的身躯等待他的出现和解救。

我掐他："你这不叫机智，叫……残忍。"

013

六月底小学毕业典礼，六月初的时候，班里那群调皮的小男生们疯了似的喜欢上了折纸飞机。

当时我们的教室是在三楼，窗户的一侧对着校外的民居，那群男生们每次折完飞机都在窗前齐刷刷一字排开，一齐将自己的飞机朝向那片民居飞去，然后比谁的飞机高。

没出三天，民居的楼顶就白花花连成一片，连鸽子有时候都误以为是鸽群，一个俯冲就下去了。

后来有一天很莫名其妙地，班主任把我叫去办公室，严厉警告我不准再折飞机，更不准把飞机飞到那片民居里。班主任说那个院子是教导主任家的，很多纸飞机落到他家，他在一张纸飞机上看到了我的名字，认定那是我飞的，虽然知道乱飞纸飞机的不是我一个人，但抓住我一个人总能起个杀鸡儆猴的作用。

我百口莫辩，还被班主任扣上了一个不勇于承担错误的帽子，最后班主任念及我平时的表现还不错，就没有在班级里批评我。可这件事还是成了我小学生涯中最委屈的事，没有之一。

许多年后无意间看见菜花教他的小侄子："在纸飞机上写你的愿望，然后用力抛出去，会实现哦！"

见小侄子不信，他急急补充道："我小时候试验过的，很灵验！"

我一下了想起了什么。

原来那年是我的名字替他的游戏背了黑锅啊，原来，我的名字也是他童年的小小愿望。我还记得那个童年里，星星和梦想一起在天空，它们好挤好挤。

014

很快地，我们就要小学毕业了。我们准备了同学录，是那种活页的，可以撕下来发给同学们，隔两天等他们填好后再收回来。我给了菜花一张同学录，菜花也给了我一张，当然，全班每个同学我都给了，我按着座位表一张一张发过去。可他只给了一小部分人，第一张就给了我。

他说他最初觉得那个替他演兔子的女孩很善良，后来看她穿着白丝袜戴着兔耳朵在台上蹦蹦跳跳，他就记不得那个女孩的善良了，只记得她很可爱。

而那年12岁的我，对他的记忆停留在了他替我隐瞒那本《知音》是我带来的，以及……他总看穿绿色衣服的我。

我在菜花的同学录上姓名那一栏留下：牛魔王。其实我真是挺讨厌这个外号的，牛魔王多丑啊，可是我又不想直接写下我的名字，我只是想和别人有那么一点点不一样。我还留了我家的固定电话，后面打了括号——我妈会接电话。

"你都知道我家电话，为什么那么多年不联系我？"12年后我们领证那天晚上，我这么问他。

"对不起，我当时并不知道你就是我老婆。"他摊摊手，"要是我知道写完同学录你就要跟我分别那么久，我肯定早早打电话叫妈。"

我怀揣着自己细腻敏感的小心思，想起一篇学过的课文《少年闰土》，当时那个"猹"字我们都不认识，就跟那一刻我不知道我是怎样的感情一样。我大笔一挥，在临别赠言上写下了这个字：猹。小时候的我知道，很多感情，就像这个"猹"字一样，刚开始会不认识，可长大了就明白了。

当然数年后，他气呼呼地质问我，为什么说他"渣"，还写了错别字。我笑笑，就当是童年种下的秘密吧。

少年
海尔弟

001

高一的时候我们班有个男生叫海尔弟。不过他没有穿蓝色内裤演动画片，身边也没有灵气少女詹妮，更不是某冰箱的代言人。唯一有的是一个非亲非故的海尔哥。

他的名字是年级主任在当年还没秃顶的时候亲赐的，有次开年级大会，他和班里另一个叫李海洋的男生坐在最后一排，还公然趴在桌子上睡觉。

年级主任很是生气："最后一排在睡觉的，叫什么名字？！"

说罢，我们全年级的人都齐刷刷地扭头看向最后一排，这时候趴着的那个又胖又壮的李海洋被惊醒，呆呆地和我们对望。

有后排男生小声回应："胖子是李海洋，瘦子是崔海楠。"

这时候不知哪来的多事者声音提高了八百个分贝："海尔兄弟！"

年纪主任推推眼镜，怒声道："海尔弟别睡了，你哥都醒了。"

002

海尔弟的侧脸有几分陈坤的味道，而且说话温温柔柔的，在那个花痴泛滥成灾的中学时代，他瘦高的身体晃荡在宽宽大大的校服里，不知荡漾起多少少女的情怀！

可他后来干了一件事，直接导致了他伟岸形象的毁灭。

某次，海尔弟和他同桌特无聊，非要打赌彼此校服的拉链能不能接在一起，他们都觉得能，可他们还是心有不甘决定要试一试。

于是下课的时候一冲动，他们竟……就这样成功了！一瞬间，他们面对面凑在一起，女生的尖叫声和男生的大笑声让教室沸腾起来。

可是快上课的时候，两个人却突然分不开了。

靠！拉链卡住了！怎么也拉不开，两个人似乎能想到接下来要遇到的困境，难道就要像连体婴儿一样与彼此度过一生？可是上厕所怎么办？谈恋爱是找一个女朋友还是两个女朋友？

就在老师即将跨入教室的那一刻，就在他们合体的样子快要暴露的那一刻……

他们突然想到，为什么不从下面钻出来呢？

于是他们机智地从下面钻了出来。

可是，冬天，零下，小背心。

"你们为什么穿这么少？"

"热！"发抖的海尔弟口齿不清。

003

那时学校里有很多流浪猫，除了不知不觉自发聚集起来的小猫咪们，还有几只是学生们从校外偷偷带进来的，其中有一只就是海尔弟带进来的。

那个寒冬腊月里，我们的城市下了很大一场雪，平日里骑自行车上学的海尔弟只好步行。他踩着厚厚的雪深一脚浅一脚地走在上学路上，在一辆汽车下发现了一只小花猫，瘦瘦弱弱的样子，还蜷缩着身体。

海尔弟走近一摸汽车的引擎盖，还发热的，应该是刚停在那里不久，小花猫就窝在车底借着那点温度取暖。

于是海尔弟就伸出手，小花猫一窜就窜到他怀里，于是在那个冬天的清晨，海尔弟就把小花猫裹在怀里带进了校园。后来他用废纸箱给猫咪们做窝，放在走廊尽头的暖气片旁，有不认识的女孩也买来吃的放在纸箱里。

那时候我们听阿杜的歌，有首歌叫《他一定很爱你》，里面有句歌词：我应该在车底，不应该在车里……

因为这只小猫咪是在车下捡到的，海尔弟就给它取名叫"阿杜"。

004

海尔弟绝对是"我有个朋友"系列的创世鼻祖。

他说他有个朋友，每周和他一起去流浪动物救助站，救助站有条老狗年纪大了脱毛严重，朋友专门跑去超市为它买了瓶霸王防脱洗发水。

他说他有个朋友，一直对一个小学时的女同学念念不忘。可他和那个女同学已经四年没联系了，这四年他忘了女同学的大名，可却还清清楚楚记得她的外号。

他说他有个朋友，扬言要徒步长城，打赌要是能从山海关走到嘉峪关，回来就去给当年的女同学表白，结果刚从山海关出发，就被家长找了回来。

作为中二时期的我们，怎么能允许海尔弟有个比我们还中二的朋友呢！于是我们纷纷用调侃来委婉地表达我们不信他有这么一个朋友。

2005年那年李宇春夺得了《超级女声》总冠军，就有人问："海尔弟，你朋友打算什么时候和李宇春谈笑风生？"

005

再回想高中时代，晨跑的校园，凌晨的星夜，随手的诗，和年轻的你们。可也是在高一那年发生一件别扭了我整个青春期的事。

我们班每个人和海尔弟的关系都特别好，每个人也都不觉得海尔弟对自己的好有什么特别之处，他会替我值日，也会在天冷的时候借给我同桌杜鹃一双毛线手套。

那件事发生在周三的体育课前，我正下楼去操场时突然肚子疼，这时候距离上课就只有几分钟了，我托同学代我请个假，就自己捂着肚子回教室了。

踏进教室门的那一刻，我彻底呆住了，海尔弟正趴在杜鹃的书桌前鬼鬼祟祟，他一抬头，和我的眼睛撞了满怀。

"海海海海尔弟弟，你在干什么？"

"没没干什么。"

我们仍然面面相觑。

"我去上课了姐姐。"海尔弟突然一溜烟地飞奔出去。

后面这声姐姐叫得我酥酥麻麻，这是什么套路？我什么时候变成你姐姐了？

体育课下课后，杜鹃的钢笔找不到了，她哭着说那支钢笔是她爸爸从德国买来的。海尔弟坐在第一排，我穿过重重人群透过亮亮的灯光看到他瘦弱的背影……他自始至终也没有回头。

006

从那节体育课以后，我开始有意无意地避开海尔弟，但不知怎的，那段时间杜鹃特别喜欢拉着我聊海尔弟什么的。

"海尔弟帅不帅呀？"

我淡淡一笑："还可以。"

杜鹃羞涩，脸都红了，悄悄凑到我耳边："我觉得帅。"

"你知道海尔弟喜欢谁吗？"

我依然淡淡："不想知道。"

杜鹃羞涩，依然脸红，压低分贝："我知道，你不想知道那我就不告诉你了。"

"你猜我喜欢海尔弟吗？"

我大惊："你可别喜欢他。"

杜鹃转身去跟后排的女生聊海尔弟了，当然聊的内容也是青春期女生的三个哲学问题：

他帅吗？

你猜他喜欢谁？

你猜我喜欢他吗？

007

杜鹃非要拉着我们一大帮人玩真心话大冒险，一起玩的还有海尔弟，我第一轮就输了。反正我没什么暗恋某个男生的小心思要藏着掖着，死猪不怕开水烫。"我选真心话好了。"

"喏……那你的体重？"一个男生发问。

靠！这是什么剧情，难道不该问我暗恋谁喜欢谁意淫谁吗？问一个女生体重好尴尬啊啊啊！

"拒绝回答，我选大冒险！"

"那请你站在讲台上喊出你的体重！"海尔弟说。

话音刚落，一起玩的同学们的笑声就跟平地一声雷似的，"轰"的一声炸开了。

这个问题从技术层面来说实在太有水平了，真是把我问哭了！

可在那一瞬间，不知是对海尔弟想出这个傻主意来开我玩笑的不快，还是那节体育课时他鬼鬼祟祟的样子在我脑海中不断闪现的反感，让我本能地对他产生不满、抗拒，甚至……

我只记得当年十六岁的我，结结实实地在众人面前朝他使了一个华妃式的白眼，然后扭身就走了。

008

高一的冬天学校取消课间操，改为以班级为单位绕操场跑3圈。

那一阵子整个操场都是哼哧哼哧声，大家都叫苦不迭。

有次我在跑第一圈时鞋带松了，跑出队伍系完鞋带后原先的队伍已经跑远了，我灵机一动就索性继续蹲在原地假装系鞋带，心想着等队伍下一圈经过时我再加入进去。

这时有人轻轻拍了拍我的背。

我扭过头。

"同学，你还好吗？"一个年轻的漂亮女老师关切地问。

心中莫名涌出一阵感动："老师没事儿，我系鞋带。"

后来她就把我带到了操场的主席台下，这里聚集了来自各个班级的以各种方式想要逃过跑步的学生。从那一刻我深深觉悟了一个道理：人不可貌相。

后来她拿出一张纸一支笔让我们把自己的班级和姓名都写上去，于是纸笔在我们这群倒霉学生中一个个传递起来，传着传着后面的人干脆围了上去，大家挤成一团，我也挤进去，我看着正在写的那个同学在大冷天里哆哆嗦嗦的，好几次纸都被他的笔尖戳破了。我就这么定定地看了一分钟……

然后挤出人群，径直朝教室走去。

后来年级大会上通报表扬了我们班，因为我们班是唯一一个无人缺跑的班级。

我把我的光辉事迹告诉同学们，同学们纷纷投来"你竟如此智慧"的目光。只有一个人例外，海尔弟说："这样被抓住不好吧。"

"被抓住又怎样，我一人的得失在集体荣誉前不值一提！"我大义凛然的样子简直就是中二神经病的楷模。

"你……好伟大。"

"当然。"

海尔弟讪讪地走了。

比起你这种偷了杜鹃钢笔的人，我当然伟大。那时正年少的我们就是这样，即便自己一无所有，也仍能理直气壮地自命清高。

009

犹记得十一月秋冬之际的风微微吹拂，整个高一班的走廊里都响着树叶沙沙的摩擦音，空气里似有若无地弥漫着清新的草叶香。

杜鹃上课时悄悄凑到我耳边："我给你讲个笑话，我和海尔弟在一起了。"

我一愣，并没有她期待的惊喜的表情，仿佛她才是个不怎么好笑的笑话。

杜鹃以为我是不相信她年纪轻轻就能泡到被全年级女生虎视眈眈的海尔弟，她把那一封情书铺展到桌子上：“我丢钢笔的那节体育课后在我书桌里看到的。”

“哦。”

“当时我都不敢相信！”

“哦。”

“后来这一个星期我一直在考虑怎么答应他才显得我没那么饥渴。”

“哦。”

“对了，那天丢的钢笔我第二天就在我书包里找到了。”

“哦。”我反应过来，“等下！你找到了钢笔？在书包里？为什么不告诉我啊！”

杜鹃小嘴一噘：“人家在想怎么答应海尔弟才姿态优雅，谁还有心思记得那支钢笔哎！”

那一瞬间，我觉得我的心被捅了一下，绽出一个血泡，像一只饱含着热泪的眼睛。

010

虽然我和海尔弟分科时都选了理科，可高一分班还是把我们分去了两个班级。我和海尔弟也就没什么往来了。

我后来想，也许很多人就是这样分离的，或许在很久很久的以后，我们还会无端想起一些从前的人，他们曾让我们对明天有所期许，但是他们却完全没有出现在我们的明天里。

高二的时候，午后冗长的数学课，我一不留神趴在桌子上睡着了，那时正值盛夏，蝉鸣声中我却睡得格外香甜。

我梦见了我去海尔弟家作客，他家摆满了脑白金、黄金搭档、生命一号……他请我品尝了各种我在广告里才能见到的东西，我也在他家度过了我人生中最有营养的一个下午。

忽然醒来后发现数学老师还在用同一个节奏讲课，那一瞬间我却莫名地，怅然若失。

011

高三那年秋冬之际，我们这儿发生了一场地震。

当时是个课间，我在喝水，昂着头却让水顺着我的嘴角流了出去，我仰着头看到天花板上悬挂的电灯管一摆一晃……也就在那一刻，本来闹哄哄的教室忽然静下来。

三秒后，几乎是全班一起起身，面不改色有条不紊地朝教室门外走去。现在想起当时的情形，每个人都紧闭着嘴，眼神坚定，像是一群信徒正在进行什么宗教活动似的。

当时我们在三楼，我们人贴人的近乎小跑着到达了一楼，可一楼只有一个出口，被挤个水泄不通，我的手心里悄悄生出了汗。

"跟我走。"

我一抬头，是海尔弟。他朝向最远离一楼出口的一间教室走去，一瞬间，我的大脑中的火线和零线搭在了一起，"嚓"的一声冒起火花，彻底短路。

我紧随他的身后，好像怕跟丢了似的。

看我们一前一后两个人朝另一个方向走去，一群一无所知的观众竟也跟着我们走了过去。

进了那间教室我忽然发现，原来那间教室的窗户靠着外面的花园啊！真是充满生机的花园啊！因为平时这间教室用来存放废弃的桌椅、粉笔，渐渐的我们都差点忘了它的存在了。

只见海尔弟一个健步飞向窗台，"哗啦"一下用力拉开那扇逃命的窗子。然后他站在窗台上看向我。甚至来不及眼神的交流，我把手伸向了他。

他拉我上了窗台，我蹲在窗台上特别复杂地看了他一眼，他催促："快跳！"

几乎是命令的语气。

我跳了下去。

可是万万没想到的是……我结结实实地跪倒在了花园里一块泥潭里。

那一瞬间，我愣住了！海尔弟愣住了！我们身后自发地排了一长队的等待从这个窗口逃命的人民群众，都愣住了！

就在这时，从人群里跳出一个声音："不震了不震了！"

于是那天，我成为全校唯一一个在这场3.2级地震中负伤的人。

可是那有什么关系呢，重要的是，我们在一瞬间都忘记了我们之间那些说不清的小小的别扭。真是一蹦泯恩仇啊。

再后来，我们就毕业了。那些美好的还来不及回忆的青春，还有那些别扭、未完成的梦想、尴尬、来不及说的秘密、扭捏、昔日的小心思，也被锁进了某个午后课间的抽屉里，它们懒洋洋地沉睡在那里，不会再回来了。

你就是
牛魔王

001

高考结束后的第五天，杜鹃和海尔弟说了拜拜。

如果说每个人身上都有一片逆鳞，那么海尔弟身上的这一片，一定是杜鹃。作为曾经杜鹃的同桌，海尔弟约我排遣失恋苦闷，美其名曰：共话当年同学之情。

我们约好那晚六点在学校大门口见，在路对面，我就看见海尔弟向我招手了，我近视，没看清他的脸，但我能认出他的腿，硬是把大裤衩穿出五分阔腿裤的感觉。海尔弟旁边还站着一个人，也看不清脸，但有一种哪里见过的感觉。

当我走近，海尔弟介绍说："这是我朋友，就是被你们说的要和李宇春谈笑风生的那个。"

当我抬头看向那个朋友的一瞬间，我直接蒙了，天哪，这不是当年替我隐藏《知音》的菜花同学吗！

"牛魔王！"菜花大叫。

真的好像是隔了很多年，更像是一场大梦初醒。

那晚我们三个并没有提杜鹃半句，甚至连给海尔弟搭腔的机会都没有，因为我和菜花——真的在共话当年同学之情了。

我们聊那年的麒麟帮，聊演兔子时要穿的白丝袜，聊放松眼睛的绿衣服，不过我记得最深刻的是他小心翼翼地问我："你大名叫什么？这个问题我都思考了六年了。"

002

海尔弟和菜花是初中时在流浪动物救助站认识的。

当时我们小城所有初中的毕业要求中都有一项，必须参加社会实践，修满了学分才可以毕业。那时候我们有的人去敬老院，有的人去社区服务，海尔弟去的流浪动物救助站。

海尔弟当时还因为社会实践做得好被表彰过，因为去敬老院的同学们，在陪老人们说了一两句话之后就无话可说了，只好天天搬着凳子坐在院子里晒太阳。去社区服务的好像除了拿着扫把打扫卫生就什么也不会干了。只有海尔弟，他每到周末就一定要去救助站看望那几只他从街头抱过去的流浪小狗，给他们洗澡、剃毛、分粮食、消毒笼子……有一年过年的时候还给几只狗狗穿上唐装拍了艺术照。

照片一挂在网上，菜花就认出了其中一只狗是他家丢的。

就在那里，海尔弟认识了菜花。

后来菜花也加入了救助站做志愿者，不过在一次为一只脱毛的老狗买了瓶霸王防脱洗发水之后，海尔弟就劝菜花去做别的社会实践了。

003

菜花他爸爸酷爱国粹，小学的时候他每逢周末就要被风雨无阻地拖去学唱戏，一直学到戏曲班倒闭。上了初中后，他开始学钢琴。

高考成绩出来前的那阵子，我，海尔弟，还有菜花经常三个人一起出来玩，我们从来不会落下谁。有时候菜花要去琴房练琴，我就和海尔弟在麦当劳吃薯条等他。后来这家伙好像是吃醋说我们不带他，就逃了钢琴课，和我们一起躲在麦当劳吃薯条蘸番茄酱。回忆起高考结束后的那个夏天的感觉，就好像过去之后还有数不完的夏天等着我。

成绩出来的那个傍晚，我傻眼了，真是出乎预料的糟糕。我没有勇气联系海尔弟，海尔弟以前考试就能甩出我一大截。我想再好的朋友，一旦被拎到一起强迫比出一个胜负来时，总有一方能眼巴巴地羡慕红了眼。当然，他也很识趣地没有向我通知他的捷报。

可能因为高中并不和菜花同学一个学校，接到他电话时我放松了许多。

他问我："在哪呢？"

"我家阳台上。"

"要不要一起去找个地方聊天？"

"不太想出去呢。"

"不高兴吗？"

"对。"

"唔……我在琴房，那我弹个曲子给你听吧。"

"好。"

然后我在电话这一头听到了他把手机放在琴谱架上的声音，接着就响起一段曲子。时隔多年以后，我都忘了他弹的是什么曲子，可那一刻的感觉好像永远也忘不掉。

我还记得我站在阳台上，他弹完那首曲子后告诉我："你看看天，今天天空很漂亮。"

然后我抬头，看到大片大片金黄又红的云朵铺满天空，像燃烧的锦缎，那是我迄今为止见过最绚丽的晚霞。或许也仅仅是因为，那天隔着电波的菜花有种蛊惑人心的温柔。

004

成绩出来的那段时间我一直挺闷的，我们三个人一起玩的日子也算是告一段落了。海尔弟继续去思考杜鹃留给他的爱情哲学，菜花也忙着向十指琴魔更近一步。只有我收拾起那些小孩子才能肆无忌惮的开朗活泼，每天起床吃饭，散步浇花，活得异常心平气和，就差削发为尼了。

阻止我普度众生的是菜花。

有一天凌晨两点，我的手机弹出来一条话费充值成功的信息，我当时想着一定是谁充错了。没过一会儿，又收到一条信息，是菜花发来的：

"我想着你是不是没话费了才不给我打电话，所以我给你充了话费。"

不知为什么，那一刻我的心突然塌陷了一块儿。

005

我很快就又恢复了元气少女活力满满的形象。后来的那个暑假，我和菜花同学聊天聊地，聊我们相遇前的故事，又聊彼此缺席对方的六年的人生。世界是个宏大的话题，所以我们永远有话要说。

让我们感到最奇妙的是，我们俩各自有一张在同一家照相馆拍的照片，照片中的我们都同样骑着照相馆里那只假猴子。照片的右下角写着"1992年"，那年我们都是三岁。

照片上的我们，额头上都点着小红点儿，不一样的是，我骑在猴子上时脚是踩在地上的，而他的脚是悬空的。

我说："哈哈哈哈，三岁的时候我的腿还是比你长的。"

"哈哈哈哈，三岁前你只长腿，三岁后你只长上半身，所以现在你就是小短腿！"

"喂！你不损我能死吗？"

菜花沉默了一下："不会死，但会……憋疯。"

……

猴子脸被照相馆老板抹得通红，喜气洋洋的，猴子耳朵也被每个来照相的小朋友摸得乌黑发亮。

我说这个猴子好脏好苦逼。

他忽然故作严肃："不过我们可以一起生个干净的猴子哦。"

嗯？这算是表白？不过有人这么凶残地表白吗？

总之我没理会他。

006

后来的高考录取结果出来，我要去南京，他要去北京。其实那时候我们还只是简简单单的朋友，只不过因为很小的时候就相识所以要比普通的朋友更亲切一些。

故事到这里还并不算是一个初恋的故事，只是在一个恍惚懵懂的年纪里，有一个人用力而矜持地去以开玩笑的姿态暗恋另一个人。

我去南京前一晚他约我出来，我们站在我家门口的一棵合欢树下，那个夜晚，合欢的气味是干净的、柔软的、唯一的，像天空一样的感觉。

他很认真很认真地问我，"你真的要去南京吗？"

"真的。"

"你真没骗我吧？"

我忽然不敢看他的眼睛。"我骗你你会给我发糖吃？没骗你。"

沉默片刻。"我给你发糖你就承认是骗我？"

菜花同学，你这什么脑回路，你只是不想我要走而已。

都说年少无知，其实我们年少一点儿也不无知，我们每个人的怀里都揣着一只兔子，还没等我们察觉到自己在紧张，兔子就开始"砰砰砰"地跳起来。等我长大后，兔子就变成了一只小鹿，生活把我们锻炼得稳重多了，它只会在我们遇到喜欢的人时，开始漫无目的地在怀里乱撞。

后来他说："我会定期去南京找你的。"

我笑："我又不是被关起来了，还定期去找我……找我干吗啊？"

他顿了顿，眼球上翻露出眼白："找你生猴子啊。"

幸好那晚我手不痒，不然我肯定打死他。

007

进大学的第一个中秋，菜花给我打电话说他为我放了三个孔明灯。我在电话里问他："为什么是三个呢？"

"北京刮的是东西南北风，每次我刚一点着还没来得及放飞，孔明灯就被烧了。"

"所以你就点了三个啊！"

"对啊！我把写给你的祝福也生生抄了三遍啊，每遍都一百多字呢。"

想起小时候的菜花最不喜欢写作业，如今却为了我抄了三遍的祝福语，我内心泛起一阵感动："你写的什么祝福呢？"

"很多啦，最重要的是祝你变胖。"

"靠！你跟我多大仇？"

"不过你别超过一百七十五公斤。"

"为什么呢？"

"那是男子举重的世界纪录。"

008

深冬的那阵子我们俩天天晚上躲被窝里互发短信，常常是我聊着聊着都来不及打招呼就抱着手机睡着了。

有一次晚上他给我讲故事，讲了一个很长很长的童话，长到我最后睁不开眼睛。后来我说这个太长了，你再讲个短的温馨的我就睡觉了。

然后我在等待故事的途中不争气地睡着了。第二天早上醒来，看见了那个很温馨的故事：

有个小男孩在还不知道什么是喜欢的时候就喜欢一个小女孩，后来小男孩长大了，他也知道什么是喜欢了，那时候小男孩不再是一个男孩，可那个小女孩还是他心中的小女孩。

那天清晨，窗外雪绒浮动。

想当初还是嬉皮笑脸喊我小短腿的菜花同学，如今真是太煽情了，这完全不符合他的气质啊！

于是我心狠手辣地破坏了气氛："谢谢你的绕口令。我也回赠一个，黑化肥发灰会挥发，灰化肥挥发会发黑……"

009

大一第一个学期就要结束，整个学期我都是在弥补高三的吃喝玩乐中度过的，学业上并没有太长进，只好在期末考试前的自习室里埋头苦学，临阵磨一磨这把钝到不行的刀。

当然也偶尔会有发呆走神的时候，会很自然地想到菜花，想起高考出成绩的那个傍晚他弹的曲子和红透了半边天的云霞，想起孔明灯和一百多字的祝福，想起每晚的小故事和每天早上起来时手机里躺着他的感叹："啊？你不会又睡着了吧？"

有一次自习，我又不小心走神了，不经意地在纸上写下他的名字，然后用笔在字尾画来画去……

这时候手机突然震了一下，名字的主人发来短信："你在干吗？"

我赶紧慌忙地涂掉了纸上的名字，像是做了什么苟且之事一样，然后傻笑着回复："没干吗。"

010

那年买车票还要去火车站买。我从南京站买好了回家的票，回学校的路上给他发短信："我已经买了下周一回家的车票，寒假见喽！"

他秒回："没给我买一张啊？"

我满脸黑线："你从北京回，我怎么给你买？"

他回："可是我明天就去南京看你了呢！我说了每个学期定期去找你生猴子的啊！"

后来我又返回车站，因为没有卧铺票了，我就索性买了两张硬座票。

011

那一年冬天，我和菜花一起坐十二个小时的火车回家。火车一路哐当哐当，我们俩也一起随着摇摇摆摆，像是晃动不安的青春，也像是扑通扑通的心脏。

那一晚的夜很黑，在车厢里，我就坐在他旁边，我们先热闹地聊了一阵子，后来在某个话题结束后，我们都不知道该说什么，只好很默契地享受着暧昧的沉默。

后来我借去卫生间的空当离开座位，在车厢连接处掏出我的诺基亚手机："我们在一起吧。"

然后小心翼翼点了发送短信，看着进度条一点点推进，我的心差点跳出嗓子眼，可几分钟后也没有丝毫回应。

"他就喜欢开玩笑，什么生猴子不生猴子的，他不过是开玩笑而已，我怎么当真了呢。"我这样胡乱安慰着自己。

可刚一回去坐在他旁边，眼泪还是特别不争气，他问我怎么了，我看着车窗外的苍茫大地，头也不转："想家了。"

就在这时，他的手机叮咚一声，原来是火车行驶的地段信号不好，他才收到短信。那时的手机还都是按键机，他噼啪地敲击手机键盘，十秒钟后我的手机响起："我现在和我最爱的人一起走在回家的路上呢。"

我心里的小烟花"嘣"的一声，炸开了……从那一刻起，他就是我冬日里温暖的手套，盛夏里冰凉的果汁，带着阳光味道的衬衫，以及，日复一日的想念。

原来
异地恋的味道
是这样的

001

有人曾问我维持异地恋主要是靠信任还是信念，我犹豫了好一会儿，还是觉得主要是靠手机。

异地恋的那几年，每晚的短信夜聊成了我和菜花生活中的必备项目。有次临睡前他要给我讲他那天听来的一个故事：

"向日葵点点总是显得无精打采的，大家都不知道为什么，只能劝他，白天要努力进行光合作用哦。可是点点有着自己的小秘密，每天晚上它会独自看着月亮，然后用谁也听不见的声音悄悄说……"

"说的什么啊？"我问。

"你猜。"

"我猜？向日葵看着月亮悄悄说……可是我就是喜欢你呀。"

"你真聪明，我也喜欢你。"

其实这个故事我早听过了，可那晚听他讲的时候心里却像是融融化开的蜂蜜一样。

002

确立关系后的那个寒假，我们都还特别不好意思。

那年冬天雪很大，路上都结了冰，公交车的轮子上也套着防滑链，车比人跑得慢。菜花约我出去玩。在公交车上我们并排坐，坐在我们对面的，是中学生模样的一个姑娘和一个少年。

我们俩在车上都跟没见过世面的小媳妇一样规规矩矩的，为了打破沉默和尴尬，我在车上给他讲一件高中时候海尔弟的糗事，我哈哈大笑手舞足蹈，他也跟着笑。坐在我们对面的姑娘和少年显然也是听到了我声情并茂的故事，一起抿着嘴偷偷地笑。

雪天路滑，路上一个摩托车冷不丁地窜出来。司机猛踩了刹车，公交车在一片骂声和惯性中停在了北方寒冷的冬天。

然后我的头顺势抵在了他的一侧肩膀上。对面的姑娘，她也抵在了那个少年的肩膀上。

像照镜子一样，我和对面的姑娘相视而笑。

003

我大二的时候跑去北京看他，那时候正是秋天，他拉着我的手走在他们学校的大路上，一路上跟他打招呼的女生有好几个，但都被我选择性忽略了。

他拉着我的手在前面走，一边跟我介绍这个是逸夫楼，这个是综合楼，可我光顾着看那几个跟他打招呼的女生了，内心一台后宫大戏悄悄拉开了帷幕：

跟他打招呼的那个穿黑格子衣服的女生没我高，但是她比我白，还有那个围黄围巾的，她应该没我白，可是她好会穿衣服啊，那个锅盖头女生，我的天，除了发型她好像还挺漂亮的……总之我越看越自卑，越看越暴躁。

后来索性挣脱了他的手："我不走了！我问你，我不在你身边的时候你是不是也会喜欢别人？"

他一头雾水："我喜欢你啊。"

"所有时候？"

"所有时候！"

"那她们呢？"

"也喜欢她们啊。"

我彻底生气了，转身就想走，可是被他紧紧拉住手："在她们偶尔像你的时候。"

004

有一阵子忙得不可开交，最后彻底忙完的那个晚上，我回宿舍的路上都差点睡着了，我给菜花发短信说好困，他回复我说今晚好好休息。然后我就打算着回去好好洗个澡然后再舒舒服服睡个懒觉了。

正当我洗澡时，一阵手机铃声响起，我揉揉快要抬不起眼皮的眼睛。手机屏幕上亮起来他的名字，我接了电话，有气无力的。菜花在电话里说他来看我了，就在我们宿舍楼下。

我彻底清醒："别逗我了，北京南京一千二百公里呢！"

他拍了一张槐花的照片发给我。

"还在逗我！你们学校也有槐花。"

他又拍了一张我们宿舍楼下在值班的宿管大妈的照片发给我。大妈在织毛衣，是我晚上回来时她在织的那一件！

紧接着，我擦干头发又裹上浴巾换衣服，整个动作一气呵成，最后连拖鞋都顾不上换，就飞奔去了楼下。就像是一场梦一样，我怕我慢了，梦就醒了。

在楼下见到他时，他也一句话不说，就对着我傻笑。我顾不得那么多，一个猛子扎进他的怀里。

南京的初夏夜，微风清凉，我记得那一刻烟花四处绽放，整个天空都明亮了。

005

大三那年三月底，下课的时候手机里躺着一条菜花给我发来的短信：牛魔王小姐！我明天去看你，来接我好吗？

我记得那天特别冷，上课时都手脚冰凉，看到那条短信的瞬间真的是感觉到胸口蹿出了小火苗，"好啊。"

第二天，我在车站努力搜寻过往人群中他的身影，期待又焦急，你到底在哪儿？

"傻瓜，你不会真的在车站吧，今天是愚人节哎哈哈。"手机短信的提示音响起来。

我顿住了，泪水不争气地落了下来，一时间，失望，委屈全部都涌上心头……却被人从身后轻轻抱住。

耳边是熟悉的声音："傻瓜，今天虽然是愚人节，可我怎么舍得骗你。"

006

有段时间做家教，晚上回来的时候要经过一段很安静的路，每次走在路上我都会跟菜花打电话壮胆，有一搭没一搭地聊天。

有次刚一拐弯，忽然出现我面前的是一只超级大的狗，没有主人，我彻底吓傻了，待在原地挪不动脚，几乎是颤着音告诉他，"有有有有一只大大大大大狗……"

说完之后，我低下头不看狗，连大气都不敢出，慢慢地绕过去，走了好一段之后才重新拿起手机，刚一放到耳边我就听到他对我大喊："你怎么不说话了！你还好吗！"

我说没事了，我已经经过了那只大狗。

他还是大声地吼着电话，好像还有点哭腔："你不说话你知道我有多担心吗！"

后来我就把家教辞了。

那个晚上我才知道，原来被他担心被他紧张是这样的感觉。

007

大四那年菜花出国交流，先要从北京坐火车到上海，再赶第二天中午的飞机。我们约好在南京火车站的月台上相见几分钟。因为我们知道再见面，就要等到半年之后了。

于是那个冬天的夜晚，凌晨两点多钟，我站在南京火车站的月台上看着黑漆漆的北方。我知道再过几分钟，就会来一辆火车，车上有他。

和我站在一起的还有几个年轻人，他们都是在接他们的恋人或家人，可我不是，我只是在这里看看他。

火车鸣着汽笛来了，车停了，他就站在车门边，我在站台上，呵着白气，想不起我们当时说了什么，只记得他最后说让我到宿舍了给他发个短信。

然后车就动了。我追了几步，挥了挥手。然后车就走了，又消失在一片黑漆漆中。

刚才那几个一起等待火车的年轻人也接到了人，他们一起离开了，有说有笑的。我看看清冷的月台，拍拍冻僵的脸，很晚了，我该回去了。

空荡荡的路上，我一个人骑着车，街灯明亮，雨雪纷飞。

快到宿舍的时候，我给他发短信："我已经回到宿舍躺下了，你路上小心。"

008

菜花回国的时候我在上海虹桥机场接他，他刚一出来我就看见他了，远远地我一边笑一边向他招手。当他终于透过厚厚的人墙捉到我的身影时，他立马拖着行李箱像个小孩子一样连跑带跳地朝我奔过来，还没等我反应过来，他一下子就把我抱了起来。

"快放我下来，你一年没抱我，我重了好多！"

他哈哈哈地笑："一点儿也不重，信不信我还能过肩摔！"

"我是你女朋友啊！能不能温柔点儿！"

"好好好！温柔点儿！"

他一边说一边放我下来，很宠溺地看着我，然后他忽然俯身下来亲我，我呆住，想挣扎着出来可是他的双臂还是紧紧地环住我的腰，我只能笑着大喊快别耍流氓。

他看着我的眼睛："你是重了啊，在我心里重了好多。"

我眨眨眼睛，说："哦。所以现在你心里住着一个胖子。"

"是啊，我走之前她一百多斤，现在她在我心里千斤重啊。"

009

有次在学校我们社团活动，从下午开始忙，晚饭都顾不上吃，忙完都夜里十一点了。我给菜花打了电话说我们活动才结束，现在正和一个男同学一起，准备去校门外吃点夜宵再回宿舍。

他说这种小事不用打电话给他说，我这样的谁会拐走。然后又叮嘱我出校门注意安全，别吃油炸别吃生冷的小心吃坏了肚子。

我嘻嘻哈哈地说没事儿，然后就挂了电话。

大概两分钟后，菜花又打来电话："你吃完了吗？"

010

那时候大学同寝室的姑娘们看我经常煲电话粥，就问我异地恋是什么味道。

　　我想想，觉得是酒心棉花糖的味道。古人把酒又称狂药，狂药辣心，可包上一朵棉花糖，总归是软绵绵甜蜜蜜的。

　　我又问菜花，他笑笑："我觉得每次见你的时候，你好像又晒黑了，发型也有一点点不同，肚子上的肉肉又冒出来了，也从没见过你穿这件衣服，背影陌生得让我觉得见你是上辈子的事情，然后你开口叫我的名字，我就想笑，好像是自己刚刚放学，只在楼门口等了你五分钟而已。"

请叫我
牛圆圆

001

我有两个骨灰级闺蜜，是高二文理分科后和我一个班的，她们一个叫牛欢欢，一个叫牛青青。虽然一个姓，名字也都是ABB形式，可她俩之间一点儿关系都没有，牛欢欢家里是开花店的，每年一到情人节，她都要请假回家帮忙卖花，牛青青的家是典型的公务员家庭，一年到头她从不旷课从不迟到。

那时候是九月进班第一次排座位，为了让每个同学的想法都能被满足，班主任让我们把自己对座位的要求都写在小纸条上然后交给他。

那时牛欢欢的纸条上写着："老师，我想坐在电风扇底下，这样比较凉快，最好是靠过道，我爱喝水，上厕所方便。"

牛青青的纸条上写着："我比较喜欢安静，如果可以的话，希望坐在靠窗边的位置。"

我的纸条上写着："没要求，不过同桌是女生就更好了。"

于是我们三个就被安排在了边上第三排的位置，我坐在中间。一边是欢欢，一边是青青，我不姓牛，单名也是一个"圆"字，坐在中间的我显得格格不入。不过这个问题后来很快就被解决了，因为班里的男生记不住我叫什么，由类比法他们直接叫我牛圆圆了。

002

那时候班主任经常从窗户上偷看我们谁在搞小动作……

一次体育课下大雨，老师安排我们在教室里自习，那时冬天，教室里暖气烘烤着，窗外雨水哗啦啦的，窗子上起了很厚的一层雾气。

这种天气如果是在家最适合睡大觉了，而在学校，最适合两三人女生聚成一团叽叽喳喳窃窃私语，然后聊完什么话题后再彼此意味深长地一笑。

那节课我们三个一鼓作气，准备就年级里"谁才是真男神"这个永远也讨论不出结果的命题来个殊死辩论，在开始前，我们照例让牛欢欢去窗边看看班主任来了没有，我和牛青青坐在一旁也看着窗。

窗子冰凉，她用嘴巴对着玻璃哈口热气，然后开始用手擦，一下，两下，三下……一直擦出了一张脸，阴森恐怖，像遗照一样挂在那里……

003

牛欢欢就住在我隔壁的宿舍。

　　那年冬天某个凌晨三点左右，我们同一层楼某个宿舍的饮水机突然起火了，楼道里来来回回的脚步声和水流声让我逐渐意识清醒。我把头蒙进被子，继续睡。

　　迷迷糊糊间，一阵急促猛烈的敲门声让我彻底惊醒。"大早上的敲门还要不要人睡觉！"我嘟囔一声，还是在万分烦躁中从被窝里爬出来披上羽绒服去开门。

　　一拉开门就看见牛欢欢穿着一身大红的秋衣秋裤站在门口，手上还拎着个大脸盆。

　　"你干吗？一身红，要嫁人去啊！"

　　她没接我的话："你没去救火吧？听到楼道里有人走路的声音我就以为你去了，我是来告诉你让你别去！"

　　"你拎个脸盆干吗？"

　　"要是你去了我就也去，救你啊！"

　　在我的印象里，牛欢欢从来都是个神经大条，粗枝大叶的姑娘，她上厕所从来都要满教室借纸，她抄答案永远抄串行，帮别人买包干脆面也没几次能买对口味，只要一旷体育课，就一定会被逮个正着。

就是这样一个坑起自己来孜孜不倦的女同学，在那个冬天的凌晨连衣服都顾不上披，一个人站在清冷的楼道里用力地敲着我们宿舍的门，只为了确定我没有去参加她认为很危险的救火。

我们总是太害羞太不善于告诉别人其实我很在意你，如果没有遇到危急的突发的时刻，怕是很多人一生都以为自己活得孤单。你可能不知道，那些你以为的关系平平的朋友，还有那个你以为的永远只会以严厉示人的父亲，和永远唠叨不完的母亲，他们不到万不得已的时候，是不会轻易告诉你——其实你就住在我心里最柔软的地方。

004

我和牛青青永远不会在同一个兴趣小组里认识，我们本来就是两种人。

一次一个女孩在微博上问我：怎么才算是好朋友？

这个问题我想了很久一段时间，"一起疯一起闹一起笑"只是玩得来，"会为对方所得的奖励而真心高兴"只是心态良好不善妒，"一起说第三个人的坏话"这只是小女孩之间的斤斤计较。

后来我回复那个女孩：和而不同。

我和牛青青就是这样的关系。

高中时候的我特别要强，而且自负。那时候牛青青的照片总能轻而易举地出现在光荣榜的第一排，而我要历尽艰难险阻才能勉强挤上光荣榜。她坐我旁边，我也是清清楚楚看到了她每次为了一道解不出的数学题目能耐着性子算一两个小时，英语一个动词理解不清会认认真真翻着那本我们很多人都当成了摆设的牛津字典。班里有同学觉得她活得太较真，可我却心甘情愿地接受了光荣榜上的差距。

不过那点点别扭和小拧巴还是让我没办法拱着手对她说恭喜，每次也只是真心实意地开玩笑："青青我是有点儿羡慕你啦！"

她算着数学题，头也来不及抬："羡慕我还不赶紧一起算题，等你超过我就轮到我羡慕你啦！"

除此之外，牛青青还特别看不惯考试作弊的人，可那时候高中时代的我们都特爱耍小聪明。

某次一群人一起吃饭，我在饭桌上炫耀着那次小测验我考英语时的监考老师是个瞎老头子，当我绘声绘色地演绎我如何智取时，一桌人都跟拍着桌子哈哈大笑。只有她是微笑地看着我，有人说她装腔作势她也不反驳。

她微笑时的样子就像是在看儿童节目里一个小男孩在合唱队伍里哭鼻子。

其实要大大方方地承认"不同"是挺难的一件事。

即便我们都是相同的年龄，相仿的生活经历，一样的扔到马路上就被沦为路人的形象外貌，一样没有传说中那种悲惨的童年，可我们身上还是有彼此隐藏的记忆和不经意间被烙下的习气。可就是这些小小的不同，被不愿意了解和亲近我们的人理解为小脾气，甚至是戾气。

这个世界是有点仗势欺人，每个人活着也都有狼狈的一面，我们狼狈的那一面是有不同，可你会心疼着她的短处。

005

我高二那年足足胖了二十斤，升高三的那个夏天我闷在屋子里不想出门。敏感和自卑让我不愿接受糊里糊涂就胖了一圈的我，自负和拧巴又让我不愿走出门拥抱这个依旧对我温柔的世界。

那时候牛欢欢会来我家找我玩，每次她来我总是装睡然后赖在床上不起来。她就坐在我家看电视，那个夏天她把整个《武林外传》都看完了，有时候也会在客厅里看我妈上网打麻将，然后等着我醒来。

后来她又叫上牛青青，等我的时候，牛青青只看书架上的书，高三那年牛青青的语文成绩突飞猛进，让我一度以为她是看了一暑假我的书才开窍的。

之后的那个夏天她们经常约我去户外运动，打羽毛球，滑旱冰，游泳什么的，累个半死再在回来的路上买个烤翅。那个夏天我在她俩的带领下瘦了一圈。不过代价就是……牛欢欢被晒黑了，到现在都还没白回来。

说也奇怪，我们玩着玩着就长大了，我就这么渐渐地忘记了那个恼人的夏天里不愿起床的我。

是她们改变了我。从一开始，她们就陪伴着我，分担了我的顾虑、我的烦闷、我的敏感，也轻轻抚平了我的不甘、我的偏激、我的愤怒。

《小王子》里狐狸曾经说过，人与人之间，有一种驯服与被驯服的关系。因为小王子，狐狸拥有了麦子的颜色，如果小王子下午四点来，它在三点就会开始感到幸福。

我想这就是一种温暖的改变。

006

高考结束后，我们三个又阴差阳错地一起来了南京。在大学四年里，我们聚在一起吃饭不超过五次，我和牛欢欢打电话不超过三次，和牛青青打电话仅有一次。

上大学后第一次和欢欢打电话的情形大概是这样的：

我："哎呀我们学的好难！"

欢欢："我们也好难，感觉大学骗了我！"

我："是啊，好怀念我们三个人一起玩的高中。欢欢，我现在过的一点不如想象里的好。"

欢欢："现在不及格很麻烦的唉。"

我："可是我感觉我马上就要不及格了！"

欢欢："啊？不是吧，虽然我学得也不好，但是我觉得我还是不会挂的。"

这时候因为信号问题手机被挂断了，我没有再打过去，因为我觉得我们该交流的已经说过了，电话的意外挂断一点儿都不会使我们尴尬。

五分钟后，欢欢发来一条短信：

"信号不好，我就不打过去了。你可要好好学习啊，你要记得你以前是很优秀的。"

牛青青给我打过的唯一那次电话是这样的情形：

青青："我看新闻说你们学校有一例禽流感，是真的假的啊？"

我："假的啦，那个是造谣。"

青青："哦，那就好，吓我一跳呢，我一看到新闻就赶紧来问问你了。"

我："我没事的啦。"

青青："不过你可要多注意啊。"

整个通话记录三十七秒。

可能我们彼此之间不该是热情也不该是怀念，不过是彼此陪伴一起走过一段青葱岁月，后来又目睹彼此的成长，这感情已成了生活的一部分。

007

她们俩第一次见菜花是在我们大三那年，那次菜花从北京来南京看我，我们一起约在夫子庙附近吃饭。

刚见她俩，我就大大方方地向她们介绍菜花："这位同学呢，虽然偶尔那么几次跟我闹点不愉快，但是一哄就好。虽然他看上去是挺高冷的，其实肚子里埋的是火药，一点就着。"

牛欢欢打了个响指："明白了！"

在我还没搞明白牛欢欢明白什么了，她俩就灌起来菜花了，真是一点儿不夹生啊。菜花也毫不怯场，她们倒多少杯他都来者不拒。席间大家还不忘吐槽我高中长胖了赖在床上不起来，还顺带夸了夸菜花同学一表人才，一桌人喝得飘飘然。

后来我去了趟卫生间，回来的时候就看到菜花趴在桌子上在说着什么，欢欢和青青都把耳朵凑得老近，说完以后青青还对他竖起大拇指，然后三个人就趴在桌子上笑，我看那桌子都开始发抖了。

在那之前，我从不知道菜花对女孩子有这么多话可以讲，他可以这么幽默，他可以有本事让两个第一次见面的姑娘都伏在桌子上笑。他是不是在北京的时候就这么一副臭德性啊！

我径直走过去，一把夺过菜花手上的酒杯："你喝够了没？"

菜花不明所以。

我直接又把他拉起来："你现在就给我走，滚回北京去吧。"

他站起来："你怎么了？"

欢欢和青青都劝我先坐下，可是我怎么能就这么坐下，我心里窝着一口气我坐不下啊！我瞪着菜花，用尽全力地忍住眼泪："你在北京是不是就是这样跟女同学打情骂俏？"

菜花说我胡思乱想，简直不可理喻。

牛欢欢拉着我先坐下："刚才我们是故意灌他酒，然后青青指着旁边一桌的美女问他是那个美女好看还是你好看，他喝得有点多，可是他没喝糊涂，他说他没看到美女，还说他心里你最美了。"

"那你们灌他酒干什么？"

"是你说的一点就着啊，我们就想看看点着他以后，他还是不是真的爱你。"

我一下就愣住了，看着我身边坐的我最亲近的三个人，"哇"

的一声就趴在桌子上哭了。

008

大学毕业后，牛青青去了香港，牛欢欢去了英国。

她俩走之前我们三个在一起聊天，我说我们在一起六年，这次是真的要分开了。她俩拍拍我的肩膀："分开什么，我们俩以后都变成你的免费代购了。"

她们走之后的一天早上，我突然从床上坐起来，突然想起高二那年的操场，男孩们跑动的时候球鞋和地板摩擦发出的尖利声音，喘息，争抢，还有运动的时候篮球撞击地面制造出的仿佛心跳的咚咚声。

我也突然想起那时牛青青是班里的好学生，她的礼貌沉默和她的微笑疏离被有的人理解成为孤傲，被有的人理解成为不近人情，我坐在床上的那一刻忽然明白，其实些都不关乎牛青青怎样，而是关乎大家看她的眼光是崇拜还是妒忌，或者怜悯。

还想起那时的每个人都被关在教室里从早到晚地自习，荷尔蒙只能委屈地用青春痘这种方式发泄嚎叫。

还有一天下午数学课上刚睡醒的牛欢欢蒙眬间对我说了句：

"我梦见我们都长大了。"

哦，原来长大的感觉就是这样啊。

起风了。

醒来时
你就在我身边

001

毕业后，我进入南京一所中学任化学老师，菜花也因为一个千载难逢的好机会留在了北京。

被梦想俘虏的人永远找不到两全的办法，满地都是六便士，我们实在没空抬头看一眼月亮。

在学生时代的最后一个夏天就要结束时，我们在家乡的车站道别。四年前也是这个车站，我们一南一北分别四年，四年后又是这个车站，我不知道这次一南一北还要分别多少年。

我鼓起勇气，开玩笑一样试探性地问他："到了新环境，如果有人追我怎么办啊？"

"如果有人追你，我就绊倒他。"

然后他别过脸去，我也跟着红了眼眶。

002

异地恋的生活就这样漫漫无期地维持，我们被生活的河流打磨得像两块鹅卵石，毫无棱角，吵架也吵不起来。

两个月后我去北京看他，那也是我最后一次去北京看他。那天火车晚点了很久，久到我彻底厌倦了这种生活的疲惫。

我一个冲动，在火车上写了辞职信，我不要那些所谓的事业有成了，我只想做一只爱偷吃蜂蜜的，会舔舔手掌的小熊。车子晃得厉害，让我落笔的地方全是颤抖，就跟被绑架犯强迫写下的似的。是啊，他就是绑架犯，他绑架了那年十八的我，也绑架了我往后的漫漫人生。

可四天后，我带着他和他的全部家当，一起回到南京。他辞了那个让很多人都羡慕不已的工作，连他们领导都说他是脑子坏掉了。

我们刚一出车站，就被各种家庭旅馆的大爷大妈拉住问要不要住店，我特神气地摆摆手："不住，我们回家！"

那天天空一碧如洗，湛蓝湛蓝的，天上流动着像棉花糖一样的白云朵，有小孩子一跌一撞地追广场上的野鸽子，我第一次发现这个城市竟然这么可爱。

003

回到我在学校的单身宿舍，我转过身还没关好门，他就从我身后紧紧搂住了我。回想起这几年，我忽然间心酸成柠檬，特不争气地流下眼泪。

他抱我入怀，轻轻摸着我的头："有什么委屈先别急着哭，先来怪我。"

我知道从那一刻起，我们将被一起打上"背井离乡"的标签，往后的漫长岁月里，我们要一起烘火，一起拥抱，一起抵抗生命的平庸，一起品味生活的柴米油盐，也要一起做一个庸庸碌碌却充满希望的人，一起应对生活给每一个人设下的不同关卡。

可是这些都没关系，我只知道从此往后的每一天，醒来时你都在我身边。

004

那是一段我每天早上都要笑着醒过来的日子。

在上班的路上，在办公室发呆的间隙，我会没由来地笑出声，有时候我们一起买个糖葫芦，我看他仔细地挑一串山楂大的我也要笑；一起看个很悲情的电影，在别的观众都暗暗擦眼泪的时候，他轻轻握住我的手，那一刻我还是忍不住要嘴角上扬。

很快他就不能忍这么神经兮兮的我了，我再笑的时候，他就把我按到怀里，然后使劲揉我的头发，好一半天才放开我让我喘口气。

后来他找好工作，为了方便，他搬去公司附近租房子住。在那之后，我们俩就相距一个半小时公交车的距离。

我从小就晕车，我开玩笑对他讲："哎呀我以后去找你的时候，刚下车一见到你就吐，你可别揍我啊！"

他笑着摸摸我的头："这一个半小时是我的。"

005

有次他跟我约会，下班后约在地铁站里见面。我大老远就看见他手上举着什么东西等我。走近一看，一个堂堂一米八的男儿，西装革履，呆呆地举着两朵粉红色的冰淇淋在地铁站卖萌。

他把一个递给我，原来这是那段时间麦当劳新出的樱花甜筒，他说那是他人生中第一次感受"第二个半价"。

后来我把我的那个甜筒吃完，他又把他那个甜筒的尖儿也留给我吃，完了还给我擦擦嘴。他吃完之后不忘发表人生感想："有人说过，一起吃过樱花甜筒的人是不会分开的。"

"有人？谁？"

他一本正经状："QQ空间。"

那一瞬间我真是觉得，这个男人，也是幼稚得深入人心啊。

006

夏天的时候菜花带我去游泳。

我这人虽然年纪不大，但毛病特多。我不敢倒立，害怕头朝下的感觉，也不敢坐过山车，因为害怕失重的感觉，也不敢下游泳池，因为我怕水。

他好说歹说地告诉我说游泳是项技能，一定要学会，我才勉强答应他的。不过有个条件是，我要全程带着游泳圈。

游泳圈充一次气特麻烦，我就提前在家充好气，然后带到游泳池。

于是那天早上，南京市街头出现了一个行动极其可疑的男人……他大约身高一米八左右，中等体型，黑墨镜遮住半边脸，穿着黑T恤，黑色休闲裤，脖子上套着一只巨大的粉红色的hello kitty的游泳圈，还拎着一个黑色的塑料袋，最后消失在了监控视频里。

007

我们一起从浅水区下水，他最先教我仰泳，再三承诺我躺在水里时他会站在水里拖着我的腰保护我，我才同意把游泳圈拿走。

我就那样借助浮力躺在他的手心里，一直往深水区那边划。因为害怕，我游得很僵硬，为了缓解我的紧张，他一边拖着我一边给我唱改编版的《最浪漫的事》："直到我们老得哪儿也去不了，我也依然把你当成手心里的宝。"

我颤颤地说："你可要保护好你手心里的宝……"

大概游了很久以后，他说："你能掉个头往回游吗？我站在水里快淹到我了。"

当时我一下子就害怕了，我还是只旱鸭子你让我怎么调头，我直接在水里扑腾起来，他一把抱住我。

于是，游泳池的深水区，不会游泳的我，像只树袋熊一样挂在他身上。

他一米八的个头，水已经淹过他的下巴了。

008

结束异地恋的那一年，我们俩真是把以前想玩的没玩的统统都补起来了。一次他非要拉我去游乐园玩，也真是摸准了我的脾气啊。

坐了旋转木马，他无奈地摊摊手："你看来都来了，那么些好玩的不去玩多浪费啊。"

"不浪费，我乐意。"

后来我们又开了卡丁车。"你看来都来了，那么些好玩的不去玩多没意思啊。"

"把我吓出毛病了就有意思了。"

又一起看了5D电影。"你看来都来了，那么些好玩的不去玩多不带劲啊。"

经不住怂恿，在游乐园里那些过山车，大摆锤，海盗船之类我看着就腿软的项目里，我勉勉强强选了个跳楼机。

我觉得这东西直上直下，充其量也就是个自由落体运动，看着最可靠安全。可事实证明：我真的是太年轻。

我哆哆嗦嗦坐上去，右手边是他，左手边是个十来岁的小男孩。在启动的前一刻，小男孩的妈妈在台下大喊："宝贝加油！妈妈给你录视频！"

于是那位妈妈的视频中出现了这样一个抢镜头的路人：哭爹喊娘，涕泪纵流，哭声震天……

直到最后跳楼机彻底结束停稳，我才从自己的喊叫声里听到菜花对我说："结束了，你看那边小男孩一直看你呢。"

我睁开眼，看看小男孩，冒出一个此生最大的鼻涕泡。

小男孩特鄙视地看着我说："姐姐你别吵了，你旁边的叔叔一直都没抓安全扶手，他一直抓着你呢。"

菜花显然也是玩了一趟跳楼机彻底懵逼了，他不知道小男孩口中的那个叔叔说的是他。"啊？哪个叔叔抓你？"

009

一次过年回去，他带我去他家。碰巧遇上他那个上小学的小外甥在做寒假作业，他拿着一道题目跑过来问我们。

题目是这样的，请仿照例句，再写两个"如果我变成……，这样你就是……"的句子，给的例句是：如果我变成柳条，这样你就是一阵风。

我拿过作业，啧啧称叹，现在小孩子的作业不得了啊，寒假作业手把手教你写情书啊，学不会考试不及格啊。

我拿着作业本，随口就蹦出一句："如果我变成泥土，这样你就是一场雨。"

菜花也不甘示弱："如果我变成向日葵，这样你就是我的太阳。"

我们俩一唱一和，看得小外甥一愣一愣的。

他还没结束，看着我继续说："白天，我对着你笑，你走哪儿我跟哪儿。"

我嘿嘿地笑，哄老婆技术有一套！

"晚上，我就背着你偷偷嗑瓜子。"

我……我真是被你的幼稚打败了！

010

有次晚上一起看完电影，我说天太冷了，要早点回去。可他不想那么早，还说天这么冷，不如睡在他那里。

我说不行，还没结婚不能太随便，否则回家会被吊起来打。

他沉默了，过了好一会儿忽然对我竖起了大拇指！

"干吗？"

"是被这么粗的绳子吊起来打吗？"

011

菜花有一项独特的哄我开心的技能。

每次我们一起逛街买衣服，如果我从试衣间出来，他两眼放光，嚷嚷着耍去买单，那肯定是我穿着好看了。如果我穿着不好看，他肯定会凑到我耳边："媳妇儿这衣服不好看。"

一次我们在商场看到一款红色毛呢大衣，金色的扣子看上去十分精致。他觉得很好看，怂恿我去试试，我觉得颜色太艳了，不符合我的气质。不过试试也无妨。

当我从试衣间走出来时，显然证明了去试试是个错误的决定，镜子里的我哪里是个二十四的美少女嘛，活脱脱一个四十二的山村老来俏。

我故意逗他："你刚才说的很好看呦，好看吗？"

"媳妇儿你穿着这衣服跟移动的五星红旗似的，多不礼貌，快换下来。"

012

一次深冬腊月我和菜花去一家自助烤肉餐厅吃自助，吃完差不多是晚上八点，这个时候各自回去有点早，可是出去又是寒气逼人，不如就坐在店里吃吃冰淇淋磨蹭到九点。

于是我们把巧克力涂到香蕉上吃，把冰淇淋泡到奶茶里吃，把沙拉酱刷在黄瓜上吃，总之我们一起调制各种暗黑料理，一直玩到餐厅工作人员收餐。

第二天，牛欢欢回国，约我一起吃晚饭，我把菜花叫上又去了那家自助餐厅。

老同学相聚，自然是边吃边聊，不知不觉又吃到了餐厅打烊，一个保洁阿姨在我们旁边拖地，边拖边笑眯眯地指着我说："这个小姑娘我认识，你昨天来过吧？"

我也笑眯眯："阿姨你记性好，我是昨天来过啊。"

菜花问阿姨记不记得他了，阿姨摆摆手，说不记得了。

我特得意："阿姨只能记得我们这些长得漂亮的人。"说完，我还朝牛欢欢挤了下眼睛。

保洁阿姨嘿嘿一笑："这个小姑娘吃得多，我记得清楚！"

013

我总说菜花这人特闷骚，跟我腻在一起时说起情话一套一套的，特酥酥麻麻，在社交网络上又把自己伪装成一个只关心国家大事和世界技术难题的成功人士。

我故意损他："你的微博看上去就跟条单身狗似的。"

我这点小心思他一下就读明白了："五分喜欢的人啊，会恨不得天天把她挂在嘴上招摇过市。有七分喜欢的，就只能和至亲密友分享。"

"那你几分喜欢我啊？"

"十分喜欢。所以我谁也舍不得说了，就憋着。每天憋着一点小高兴，就像一只松鼠攒着满腮帮子的果仁一样。"

014

菜花他们同事请客吃饭，他把我带着去，桌上上了一盘螃蟹，他顺手就夹了一只肉最肥的放在我盘子里。他同事都说他宠媳妇儿宠得无边了。

我低声悄悄给他说我吃海鲜过敏，他顾不上多想，只说我们上次还一起吃虾的，应该没事。后来我也没多想就吃了。

晚上我回去就开始浑身难受，肩膀脖子开始冒出红色的痘痘，不过我经常过敏，一般是睡一觉就好了，就没太当回事。我只是给他打电话说我可能过敏了，他说他这就来我家带我去医院。我说没事，太晚了别过来了。

　　我躺在床上大概过了半个小时后，浑身开始发热，我意识到情况不妙，就拿起手机准备给他拨电话，还没拨出去就连人带手机地摔在了地上……

　　我再次醒来是在医院。在还没搞明白到底发生什么时，只有菜花一对熊猫眼坐在床边，紧紧握住我的手："我们结婚吧。"

爱
才是
不老神丹

001

我出生的那几年，国家计划生育查得很严。在还没有我之前，我爸妈就认认真真地讨论过生个男娃娃还是女娃娃的问题。

我妈说："男娃娃调皮，伸手就要摸电线杆，伸腿就要上房顶，太调皮太难管教。"

我爸往嘴里塞瓣儿橘子："哦。"

我妈说："女娃娃要操心，小时候可能会被欺负，长大了可能还会被欺负，总要担心她。"

我爸继续往嘴里塞橘子："哦。"

我妈接着说："男娃娃花销大，蹦蹦跳跳鞋子磨得快，长大了还要准备钱娶媳妇儿。"

我爸问我妈吃不吃橘子。

我妈摆摆手，紧接着："女娃娃花销也不小，要富养，要吃好的用好的才不会眼馋别人的。"

我爸执意要塞一瓣儿橘子到我妈嘴里，我妈一怒："别吃了！你就没什么看法？"

我爸可怜巴巴地停止吃橘子。"这个……我们又决定不了，生个狗算了。"

后来？

后来就有了我，据说医生把我抱出产房时，我爸特兴奋地大呼：“是个女狗娃！是个女狗娃！”

002

我上幼儿园的时候一直都是我妈送我去，后来我妈调班开始上夜班，就由我爸开始送我上学了。那时候的我别提有多开心了，因为我可以坐我爸的摩托车了，他的摩托车骑上去轰隆隆的，特别威风。

我爸送我上学的第一天一大早，我就气质昂扬地爬上了他的摩托车后座，然后他一踩油门，带着我一瞬间就奔出了好远。

到了幼儿园门口，他停了一下，突然又蹭地踩起脚刹走了，我真的太开心了，爸爸知道我讨厌幼儿园，趁妈妈不在居然偷偷带我出去浪了！

接着他带我晃了好些地方，先是去一个厂房交接工作，后来去材料店和一个店主聊了一阵子我听不懂的话，还做了些什么我忘了，只记得绕了好大一圈，他一直没在摩托车上下来过。

终于快到中午时，他把摩托车停下来，一只脚支在地上，然后卸下头盔挂在车把上，特别潇洒地一扭头，本来还是姚明笑，看到我的瞬间立刻切换成了暴漫里的惊恐表情包："你怎么在这里！"

我抓着他外套的手都捂出汗了，我小心地把手蹭蹭裤子。"我一直都在这儿。"

他一扭头，赶紧上车，风驰电掣般地带着我奔向幼儿园。

拜托，你以为你在幼儿园门口停了一下我就下车了吗？我的手还一直紧紧拽着你的衣服扶着你的腰呢！

第二天，他执意要我妈调班回来，理由是：上夜班太辛苦。

003

我学狗叫学得很像，能达到以假乱真的效果。我爸一直很羡慕我这个技能，他潜心修炼了很久奈何天分不到，叫起来还是像被掐住了脖子的狼。

那时我上初中，晚自习下课后回家的夜路很黑，老爸就在小区门口等着我骑自行车回来。他说晚上看不太清楚人，每次都不能确定来的人是不是我，就提议从明天起我们对暗号，当有一方认出对方之后就学狗叫，对方也以狗叫声回应。然后我们再一起相伴愉快地回家。

第二天晚上，他准时出现在路口等我，当看到前方来了一个跟我一样戴粉色球球帽子的女孩时，激动得不能自已地冲向那个女孩一阵狂吠！

女孩惊呆了，跌倒在了小区门口的汽车减速带上，然后不敢怠慢一秒，抄起自行车就往前跑！

留下我爸独自在风中凌乱……

后来他对我说："闺女，咱们搬家吧，不想住在这个小区了。"

不过我妈撂下狠话："不搬！我们要在这个小区住到地老天荒！"

004

我刚读高中的那个寒假，过年收了很多压岁钱。

我正月十六开学，正月十五的晚上吃完汤圆，收拾好碗筷后，我妈跑到我跟前："你作业写完了吗？"

"早写完了。"

"今晚有什么想看的电视吗？"

"没什么想看的。"

"你今晚要赏月吗？"

我爸赶紧在旁边提醒她："赏月那是八月十五，不是今天！"

我妈喜出望外："那你是不是没事啊？咱们三个一起打麻将？"

我表示不懂三个人怎么打麻将，我妈说没关系，然后噼里啪啦给我说了一通自创的规则，最后她还下了个美好的结论："都是自家人，随便玩玩！"

只怪我自己当时太大意，并没有看出这是一个预谋已久的圈套，一不留神就中了他们的奸计："好呀好呀！"

于是那天晚上，他们两人心连心手拉手赢光了我所有的压岁钱，最后乐乐呵呵把从我这儿赢的钱各自给对方买了一件新衣服。

005

我上大学以后，每年最难挨的就是寒假结束后刚去学校的那一星期。在家过年大鱼大肉吃上了瘾，刚来学校我就特别不适应食堂里那盘只有屈指可数的几根肉丝还要刷我8块钱的荤菜了。

那阵子我经常打电话向我妈吐槽学校的饭菜，我妈毫不理解我的意思，非但没有安慰我，还特傲娇地回应我："你看，在家的时候让你吃你都懒得吃，现在后悔了吧哈哈哈哈……"

终于在我开始渐渐适应学校的食堂时，接到了母上大人的慰问电话。电话接通，对方却迟迟不说话。

我举着电话："喂？喂？妈？"

"嘘——"

"怎么了？"

"我做了你最爱的红烧排骨，正在嚼给你听，你听到了吗？"

"……"

过了一分钟，手机发来了一张红烧排骨的彩信。

006

我爸每次出差回来都要给我妈带礼物，90年代去上海出差，专程跑到上海纺织厂给我妈买了件羊毛衫，有一年去深圳给我妈买了最新款的手机，就算去县城调研回来还不忘给我妈捎一筐最爱吃的毛桃。

不过自始至终我爸只给我带过两次礼物。一次是他在外地献血，献血站送了只叫"献血宝宝"的纪念品，于是我就拥有了一只意义重大的巴掌大小的毛绒玩具，另一次是他怀揣着给我妈买的新手机，觉得什么也没给我买内心过意不去，就在我家楼下的超市给我买了个印着"NOTEBOOK"的笔记本。

最近一次我爸出差回来，恰巧我放假在家，他鬼鬼祟祟地搁了双鞋子在我房间，然后被我翻到了，我一脸兴奋地跑去问我爸："哎呀，鞋子是给我的吗？你怎么知道我穿多大码的鞋？你怎么知道我喜欢这个牌子？老爸你真的太懂我啦！"

我爸先是一头雾水的样子，然后又强装淡定："你理解错了，鞋子是送你妈的，你妈过两天生日，我先藏在你这儿。"

呵呵……

但是报复心很强的我转身就跟我妈打电话把这事跟她说了。

天真的我还以为打赢了一仗呢，只恨自己太年轻，后来我妈骂了我一通，理由是：我破坏了我爸送给她的惊喜。

007

我和老爸老妈的微信群里，常年开着三个频道，分别是养生频道、国际频道和励志频道。

养生频道的主讲人是我妈，她每天给我们分享各种养生链接，什么《苹果还能这么吃！惊呆了……》，什么《提醒！一种野菜治一种病，赶快收藏！》等等，总之这类标题让我仿佛看到千里之外的我妈在向我振臂高呼。

这还是好的，有时候她会在打电话时突击检查我有没有认真看她分享给我的宝贵知识："宝贝儿，你知道你身体藏了多少毒吗？"

"妈你说什么？违法的事我不做！"

"我发给你的微信你到底看了没？"

我翻开聊天记录，终于在4天前的记录中看到了那篇宝贵的《女人，从你的脸上就能看出你身体里藏了多少毒》……

国际频道的主讲人是我爸，毕业后我成为一名化学老师，每天的主要任务就是讲课、批作业、操作化学实验、配平方程式，晚上回到家吃吃饭看看电视，觉得生活无比美好。可我爸，隔三差五就在微信上问我一些关于国际局势和枪械弹药知识……

"闺女，你对最近土耳其XXX这个事怎么看？"或者是，"你觉得美国现行的XXX政策有什么利弊？"

如果我回答并不了解这个国际新闻，我爸会耐心地在微信上为我讲解事件的始末，然后再问我什么看法。

如果我回答没什么看法，我爸会把事件的关键点再重复一遍，接着再问我什么看法。

如果我乱说一通，我爸会觉得我看问题看偏了，然后他告诉我他的看法，接着再问我什么看法。

三番五次的较量之后，我总结了一种最为便捷的方法：直接问我爸他是什么看法，紧接着告诉他我也是这样的看法，顺势表现出"知女莫如父"的感慨，最后我爸会心满意足地结束这场心灵深处的沟通。

励志频道的主讲是男女主播：我爸和我妈。

我爸说："努力工作也要注意休息，要午休，要早睡，周末要适当地休闲娱乐……"

我妈分享链接：《我们真的没有美国人勤奋》。

我爸说："闺女，中国自古就是男主外女主内，还是要多些精力在家庭，要多点体贴……"

我妈分享链接：《脸大的女人最旺夫！》。

我爸说："到了我们这个年纪，就发现事业和家庭都重要，不过健康还是最重要，以前我们年轻，不懂得照顾好自己的身体……"

我妈分享链接：《你们这些中年人》。

还没等我打开手机看微信群，后台的男女主播就打上了……

008

某次我在学校买了一张一百元的手机话费充值卡，充了好几次都没充进去。可是不一会儿，手机上弹出一条短信，您已成功缴费一百元……

于是我就顺手把充值卡扔了。

过了五分钟，我妈打来电话："我刚才给你充了一百块，你收到了没？"

"啊？"

"你爸给你打电话没打通，说你手机欠费停机了，就让我给你充话费了。"

然后我告诉我妈我刚扔了一百元充值卡的事，她说没事，又对我嘘寒问暖了十分钟，问我穿得暖不暖，问我吃得好不好，一位慈祥母亲的形象在我的脑海中浮现。

挂电话前这位慈祥的母亲最后一句话是："你挂了电话快去垃圾桶找找那一百块的充值卡！"

009

我爸和我妈绝对是相爱相杀的模范代表，某次我妈因为我爸做的家务少而生气……

那次我爸自告奋勇要亲自去菜场买菜，亲自下厨来弥补他的过失。于是我妈在家喜滋滋地看电视等他，一边看还一边向我夸赞："虽然你爸工作忙做家务少，但是我提出来他还是很乐意去做的，虽然你爸做饭难吃，但是他还是一直在努力的，虽然……"总之巴拉巴拉了一大堆我爸的好。

我爸也果然不负众望，买菜的时候顺手在菜市场给我妈买了件衣服，奇丑无比，让我误以为他是故意买来恶心我妈的。我妈的脸色果然也从刚才看电视时的幸福溢于言表转变成了——一座大冰山。

只有我爸，一脸的天真无邪地哼着小曲儿进厨房去了。

每一个爹妈花样秀恩爱的家里都有一个惨兮兮的小孩，这些年我身经百战。

希望我爸我妈到了八十岁还能像现在这样，偶尔闹起来能够围着茶几追着跑，会为了家长里短的小事斗斗嘴，吃完晚饭携手出去散散步，回来一起坐沙发上抢电视遥控器。

010

虽然我爸妈早就知道菜花的存在，但我在他们面前还一直是那个长不大的小女孩，他们从没有想过某一天我会结婚会离他们远去。在我结婚前夕，他们对我是一万个不放心，在我看来，我们家得了"婚前恐惧症"的人是他们两位。

先是我妈考验我："我问你啊，你觉得菜花身上吸引你的是什么？是他长得帅？还是他对你好？或者他有才华？"

说完还不甘心，急着补充："我可告诉你啊，容颜是会老去的，总有一天你会发现他不再帅了，任何喜欢你的人都会对你好。还有啊，比他有才华的人也有许多，你确定未来的某一天你不会发觉其他有才华的人？"

我哈哈地笑："妈你想的太多了，最吸引我的是他有钱！"

我爸惊呼："闺女我觉得你还不适合结婚……要同甘共苦，你怎么就想着同甘呢。"

我连忙打断我爸的谆谆教诲："逗你们玩的啦！他最吸引我的是……我和他在一起的感觉啊。我和他在一起不会担心吃饭时米粒黏在嘴边出丑，也不会担心脱鞋时袜子破了洞脚趾露出来的尴尬，更不会在一起买东西时跟老板讨价还价时觉得掉价儿。我们会一起偷瞄大街上美女的大腿，也会一起向那个比他钢琴弹得好的人热烈鼓掌，走在马路上时他会让我走在内侧，唱歌时我会带着他一起跑调……大概就像你们俩在一起时一样，就算吵吵闹闹也要一起玩儿一辈子。"

后来婚礼上，我爸拖着我的手走向菜花，他的手还像我小时候感受的一样，宽厚而有力量，他轻轻对菜花说："握紧她我就放心了。"

　　那一刻，我好像看到了小时候，我穿着我最好看的裙子站在雪地里，风从四个方向吹过来。那时爸爸妈妈还很年轻，他们永远相爱，他们从未老去。

**余生
请你
多多指教**

CHAPTER
09_

001

准备结婚前，我认认真真问他："我性子急，一着急我就发火，你真的能一直忍着？"

他摸摸我的头。"我又不是第一天认识你。"

"你要想好，我特别爱哭鼻子，一点点委屈就能让我哭。"

"我又不是没哄好过你。"

"还有啊，我怕黑，睡觉要开着灯，可是你不喜欢开灯睡觉。"

"我又不是没和你睡过。"

我白了他一眼："臭流氓！"

他嘿嘿嘿地笑："所以啊，你还有什么问题？"

"唔……我神经大条，还很粗心，有一次还记错了你的生日，后来我们就提前把你的生日过了。"

"没关系。"

"我笨手笨脚的，煮的饭没有你煮的好吃，炒菜还经常炒焦，有一次你把我炒焦的土豆丝认成了茄子。"

"没关系。"

"我不会买东西，有一次想给你个惊喜就偷偷买了条裤子送给你，结果买小了，你就减肥一个月腰带系紧一个洞，然后把那条裤子穿了进去。"

"没关系。"

我愣了愣，原来一路走来，他包容我许多。"那我没问题了。"

忽然画风一转，他意味深长："原来你是知道你很多毛病啊！"

……

"那余生请你多多指教了。"

002

在春天完全舒展开来的时候，我们结婚了。

婚后的第一天清晨，那时温度刚刚好，空气也刚刚好，窗前有紫藤开始攀缘，也有叽叽喳喳的鸟儿报春。我拉开窗帘，自然光线立刻扑了进来。

我又蹑手蹑脚地爬回床上。

菜花躺在我身边，我看着他的睫毛，一直想笑。

他像是有心灵感应似的，眼睛都不睁开，迷迷糊糊的："小女孩，你什么时候醒的？"

我趴在他耳边："小男孩，我和你一起醒的。"

他一把搂过我："好巧啊。"

003

刚结婚那阵子我们活得拮据，什么浪漫情调只能暂时先舍弃掉，活命要紧。那段时间我们活得就像两个小孩儿一样，小孩儿的生活多简单啊，先考虑好不好吃，再考虑好不好玩儿。

要红酒吗？不要！楼下超市拎几扎啤酒回来，晚上一边看球赛一边干几杯。

烛光晚餐？不要！回头吃大排档吃烧烤，石头剪刀布，谁输了谁把这一盘变态辣鸡翅吞下去。

黑胶唱片机？可得了吧！不如个Xbox，下班了两个人都跟小学生放学一样屁颠屁颠往家跑，等着回家打游戏。

那阵子牛青青刚谈了个男朋友，终于结束了她长达二十四年的单身生活。男朋友也是大气，对牛青青花起钱来绝对是心狠手辣，她天天在朋友圈晒照片，今天晒黄金坠子明天晒牛角梳子，终于有一天她晒了一张九百九十九朵玫瑰的图，她躲在花里笑。

我拿去给菜花看："牛青青恋爱了，笑得真甜哎！"

菜花一拍大腿，压根没看见牛青青。"不就一点儿花么，你想要我也给你买。"

"可别，不能吃不能玩的，放在家里还要麻烦你浇水。"

第二天菜花买了十桶爆米花搬回家。

他说："爆米花也是花，只要火候掌握得好，花开得更灿烂。"

"说重点！"

"重点是能吃。"

004

那时候我们每天过得太甜腻，让我觉得特不真实，总是担心日子久了，会稀释感情的浓度。其实我错了，日子越久，爱才越是一种习惯。

那天半夜我上厕所回来，他睡得迷迷糊糊，忽然一把抱住我，像八爪鱼一样贴在我身上。我不舒服，在他耳边哼哼唧唧，他一边睡一边用手摸摸我的头安慰我。

第二天醒来，他竟然丝毫不记得了，死活不承认。

我笑笑。

原来春有春的好，即便是春天过去，也有过去的好。

005

菜花这人有时候脾气特别犟，当然我也犟，更重要的是，我们还能以同频率共犟。

有时候我们俩闹别扭，他就跟小孩一样扔下我一句"我不理你啦"！起初我还以为他是恶意卖萌，后来我发现他真的能晾着我好几天，要是卖萌这也卖得太久了吧！可是我怎么能轻易求饶呢，那岂不是太助长他的威风？所以当我揭穿他不是为了卖萌的那一刻，我就命令自己，必须要跟他拗到最后一分钟。

不过大多数时候我还是要给小男孩一个台阶下啊："你说怪不怪，十二生肖里怎么没驴呢？要是有驴，你铁定属这个。"

下了台阶的小男孩果然可爱多了："幸好没属驴的啊，你属马，要是我属驴，咱们俩生个骡子出来？"

006

他有个习惯，喝完易拉罐包装的饮料一定要把拉环放进易拉罐里一起扔掉，因为他说："它们本来就该在一起啊。"

他这人买内衣首选是卡通的，因为他觉得外面西装衬衫穿得黑不溜秋的，要是里面也黑不溜秋不是跟一条大泥鳅一样？

有时候我们一起逛饰品店没找到镜子，他就直接把发卡别到他头上让我选。

有时候我真是感慨，跟菜花在一起就跟养个儿子似的，他反倒说跟我在一起像养个闺女。好吧，我承认我们是半斤八两。

有次和他吃完夜宵走在回家的路上，我的小女孩属性忍不住要发作了，我突发奇想："咱俩比比谁先……"

我还没说完他撒腿就跑了出去，站在前面的路灯下面朝我喊："你想说咱俩谁先跑到这个路灯下面是吧？一下就被我猜透了！"

"你回来，这个不算！我还没说开始呢，你听我数一二三，数完再跑。"

然后我们又重新站在一起，做好了专业运动员蹲在地上起跑的姿势，我数"一、二、三"，这次他显然拿出了八成的力气，跟脱缰的野马似的一下就奔了出去。而我只是缓缓地站了起来，在原地笑弯了腰。

我向远处的他摆摆手："小男孩，你可真爱玩！"

他站在路灯底下喘气："小女孩爱玩的我都爱玩！"

007

也是一次在路上发生的事情。

我们俩一起在路上走，快到一个路口时，远远地我就看见前面绿灯亮着，就剩下十秒了，然后我就赶紧拉起他的手一路小跑。我跑在前面，他跟在后面，风扬起我的发丝，轻抚着我的脸颊，我适时地对他回眸一笑，想不经意地触动他的心……

然而，忽然间！

他居然撅起屁股以百米冲刺的速度跑到我前面，一路拎着我冲过了红绿灯，速度之快，会让两边等红灯的司机都误以为他对我实施抢劫！

冲过绿灯，他哈哈大笑，特别得意："你还想跟我赛跑？被我识破了吧！"

008

在一起久了，我和菜花的脾气性格还有生活习惯变得特别像，除了笑点一致，我们甚至连指甲生长的速度都一样了。不过我们家仍存在着一个巨大的分歧，就跟千古难题一样无法调节无法解决。

这个难题是关于电视上的分歧。我看电视时一定要同时做着别的事情，如果我一个人看，就要边玩手机边看，如果有人陪我看，我就要他跟我一起评论剧情。总之我必须一心二用。但菜花恰恰相反，他看电视的时候，连爆米花都不想吃，除了眼睛，他巴不得全身其他器官都进入冬眠模式。

不过他后来想出了一个解决的好办法。"媳妇儿，以后我们看电视，我坐在沙发上看，你一边做家务一边看，一举两得！"

"可以！我一边擦电视我们一边看。"

009

我们结婚一个月的时候，我揭开了一个困扰我很久的秘密。

虽说我在学校上班，下课的时间是固定的，可每天总会遇到些突发的状况，让我不能按点到家。菜花比我下班早，晚饭都是他做。

可也奇怪，每次我开锁进门的时候，他都刚好做好饭。不管我回家的时候多晚。

那天晚上吃饭的时候，我往嘴里添了一口米饭，忍不住问他："为什么每次我进门你都刚好做好饭？"

"我掐着指头算的。"他给我夹了一筷子芹菜肉丝到饭上，"别光吃饭啊，多吃菜。"

"真是神了。"

他显然对自己的神通广大很满意。"我每天把饭做好焖在锅里，然后就趴在阳台上看外面啊，等我看到你走在楼下了，我就开始盛饭，这样你回家进门的时候我刚好端上桌，还热气腾腾。"

和他在一起这么多年，可我还是会这么一不小心就红了眼眶："老公，谢谢你。"

"我该谢谢你啊，我每天站在阳台上都要回想你那天去上班穿的什么颜色的衣服。我觉得咱俩老了以后一定是你先痴呆的，你每天都换衣服锻炼我的记忆力啊。"

我白了他一眼："吃你的饭吧。"

010

虽然在家里他是一副"我是小男孩你必须关爱我"的样子，可在外面的工作中，他绝对是任劳任怨兢兢业业的模范代表，有时候我开他玩笑："菜花同志，相信用不了多久你就会升职加薪，当上总经理，出任CEO，迎娶白富美，然后走向人生巅峰。"

他"哼"了一声，只用鼻孔出气："从你嫁给我开始，我就已经在人生巅峰上了。"

我拍拍他的肩膀："老同志嘴挺甜啊，嘴甜是个好习惯，希望你能保持下去。"

"那你要经常给我剥糖吃。"

011

有一天晚上睡觉，梦见他死了，梦里的我去看他。

去之前我特地挑了一筐他最喜欢的樱桃，沿途的路上摘了几朵小黄花佩戴在我胸前，我把樱桃一颗一颗地整齐摆在他的墓碑前，忽然好想他。然后我抬起头看看天，白云流动，和我们在一起时一个样，我又看看周围，上次我亲手种的小树苗已经长高了一截。

"如果你也想我，就摇一摇旁边这棵树。"

然后，梦里起了一阵风。

我就这样从梦中哭醒。醒来看到在我身旁熟睡的他，还有被我嘲笑了无数次的大鼻子，心想上天真是宠幸我。

第二天，我给他说这个梦，他笑我傻，竟然还补充了一句："我明明最喜欢西瓜了，下次拜托你挑着担给我送西瓜。"

哼！

那晚睡觉时，他抱紧我在怀里："以后不许瞎做梦，我怎么舍得离开你呢。"

012

他钱包里放着我一张特别丑的照片。

照片是我们有一年在青岛海边拍的，当时他举着相机让我在大海边跳起来，说是要捕捉我在空中的照片，还给我找了块布披着，因为跳起来布会跟着飘起来。只怪我当年太年轻太相信他，然后就在我跳起来之前那一瞬间他按了快门。

所以照片上的我披着那块破布，下蹲起跳的动作差点让我屁股撅到天上去，更可怕的是我用下巴看着镜头，隐隐约约能看到那张抿得死死的嘴，光从嘴上都能看出我使了吃奶的劲儿。

总之我都不忍心说这照片把我照得像只蛤蟆。

后来不管我怎么威逼利诱，他都不同意把这张照片删了，更可恶的是，他洗了出来放在他钱包里以便二十四小时瞻仰。

简直忍无可忍！

每次我要发作，他都振振有词："别人看到这张照片呢，就知道我一不图财二不图貌，那证明了什么？证明我对你是绝对的真爱啊！"

013

一次我们经过一个路口闻到一种很特殊的香味，不是花也不是香料。我仔细回想了很久，像是某种燕麦的味道，又像是小时候吃过的某种品牌的面包，总之是五谷杂粮，是能吃的东西。

菜花幽幽地说："确实，对你来说是能吃的东西。"

然后我一抬头，看到了XX饲料厂的巨型广告牌。

014

婚后我养成了一个习惯，夜跑玄武湖。

起初我很不情愿，每次都是菜花强拉硬拽着我才去的，后来为了哄我去，他就一本正经地胡说八道：

我们两个是世界末日的战士，为了人类的事业而光荣一战。夜跑时那个胸肌发达的小伙子是敌人，如果我们不超过他，他就会用胸肌把我们俩人彻底粉碎；那个边走边拍打前胸后背的老太太是敌人在用美人计，如果我跑得慢了，菜花为了等我很可能会被老太太迷倒带回家享用；还有那个迎面而来的干瘦老头，他拔一根毫毛能瞬间变出五百万个干瘦老头，堵住我们的去路……

还记得空气里的味道吗？那种植物刚修剪后像是破开的西瓜一样有股清新味道，我们就这样一直往前跑，一直跑。

我们一起路过树又路过风，路过未知的生命，路过败了又开的花，路过被遗忘的种子。

那时我恍然发现，其实不用讲那些故事，只要我们肩并肩，就算是不说话，也十分美好。

那个男孩
告诉我
爱是怎样一回事

001

去年和菜花一起逛街，偶然间看到了一件鹅黄色大衣，抱着试试看的心态我拿来一试，穿上算是无功无过，正当我脱下来还给导购小姐时，旁边另一个女孩也拿去试了。

那个女孩穿上后表示想买，可是这件鹅黄大衣就剩下一件了，然后导购小姐看看我，毕竟是我先挑中的这一款。

后来我执意要买下那件衣服，那个女孩虽然心有不甘，但也只好作罢。

回去的路上菜花要帮我提着购物袋，可我偏要自己抱着这件大衣，好像抱回家的不是一件衣服，而是一枚胜利者的勋章。

这件衣服被我抱回家后放在柜子里，就再也没拿出来穿过。

菜花后来告诉我说，其实我根本不喜欢那件衣服，如果它单单放在那里，我随便试一试是不会买的，只是当时有那个女孩跟我表现出竞争的关系。

他说："你总要是'赢'你才罢休。"

他还说："你在这方面总爱钻牛角尖。"

是在大街上听了他的话的，当时的我并不生气，只是感到难过。走了大约两百米，我站住和他说："我的确是争强好胜啊，我的确是需要占有才能证明我的存在啊。我和你不一样，你从来一帆风顺，你学习好，老师喜欢你，你脾气好，所以你人缘不错。你走在哪里都自带光环成为焦点，可是并不是人人都有你这么好运。"

其实，我心里明白，我这样的好胜心都是因为我的不安和对欲望的渴求。

我也是个好运的人啊，我有陪我叽叽喳喳的牛青青和牛欢欢，也有对我唠唠叨叨的爸爸妈妈，但是我一路成长中途径的坎坷也都化作印记刻在了我的生命里，它们像阴影一样长存，日子久了，我也就成了阴影的一部分。

我小时候的几年住在奶奶家，和几个叔叔的孩子一起住，那时候同龄人之间就开始了攀比，谁给奶奶捶背奶奶就给谁发糖吃，谁嘴甜奶奶就夸谁懂礼貌。中学时候的我学习成绩平平，混到人堆里看不见，要很努力很努力才会被老师发现。而且中学时代我还特别胖，胖到我扔掉了所有中学时代的合影照片，那时的男生们不喜欢靠近我，生怕别人把我和他八卦到一起。

说到底，在我的认知里，总认为只有付出行动才会得到关注，只有胜利者才会得到别人的爱。

所以我一定要赢啊。

菜花当时没说什么，只是牵着我的手回家了。回家后他认真地和我讲："以前我也和你说过，并不是你一定要做什么才配得到别人的爱。爱你就是爱你，不是因为你赚钱了，也不是因为你做家务了，或者其他什么，你要慢慢让自己发现和接受这一点，我们是一家人，这种爱，没有原因和目的。"

你瞧，这就是差距，对他来说理所应当的事，我理解起来就很困难，即使是理解了，遇到事情还是会用本能去解读。

和他在一起后，我偶尔会惶恐，知道自己缺点太多，纠结的太多。可菜花从来都耐心地开导我，他是以一个别人家孩子的姿态成长起来的，他也从父母老师朋友那里得到了无条件的爱护，他也不会像我一样心思细微又敏感，时而自卑时而自负。

他很少去争什么，也不屑讨好别人什么，而我呢，总是做人做事用力过猛，很拼地工作，很拼地为爱而付出。

他告诉我："我爱你，不是因为你是谁，你赢了谁，只是因为你是你。"

002

某次和他同事一起去逛金鹰商场，路过一个服装店，同事感叹："这家店的衣服好贵，我妈经常来买，女人可真是败家啊。"

菜花听到了，蹙眉握紧我的肩膀，看着他的神情，我简直已经猜到了他以后要提醒我多节俭，然后指责我堆积的衣服鞋子化妆品了。

我还没想完，他却侧下了身子，在我的耳边轻语："看来我得努力赚钱好让你去买东西啊。"

他说这话时说得轻描淡写，好像我花钱大手大脚的毛病都是理所应当的。也就是在那一刻，我心里掀起了一阵波澜，内心的小水花一涌一涌的，差点从眼睛里涌出来。

那天刚一回家，我就故作一副云淡风轻的样子问他："你赚的比我多很多，却大部分被我花了，你有什么感想？"

当时他正在脱外套，脱下后我顺手就拿起来挂在了衣橱里，他笑笑回答我："你空闲时间比我多很多，却大部分用在洗衣和做饭上了，你有什么感想？"

我拉上衣橱的门，说："我没什么感想，你要不说我都没有意识到。"

他摊摊手："对啊，我也没什么感想，我也从来没意识到谁花的多谁花的少。"

我开玩笑："那你现在意识到了，不提醒我节俭啊？"

"唔……你现在也意识到了家务你做得多，是不是你要提醒我少换衣服少吃饭了？"

我哈哈大笑。

那晚他告诉我说："爱是不计较的，就像你不会在心里打小算盘谁家务做得多一样，我也不会在心里盘算谁赚得多谁花得多。爱让两个带着自我成长印痕的人走到一起，如果没有爱，就算是到了，也不过只是萍水相逢的陌生人。"

其实，仅仅是"在一起"就已经耗费了有情人的许多精力和许多运气。他还说，多庆幸又多难得，我们在人山人海中相遇又相知，生命有限，实在不容许我们在意那么多其他的。

那晚我像往常一样爬上床，然后他关了灯，我们一起沉沉睡去。

后来在漆黑的半夜，迷迷糊糊间我感觉他在帮我掖被子，我闭着眼睛假装熟睡，半梦半醒间我想起从前看过的一句话：其实每个人心里都有一团火，路过的人只看到烟。但总有一个人，总有那么一个人能看到这团火，然后走过来，陪我一起。于是，我带着我所有的好的坏的脾气，以及对爱情毫无理由的相信，走得上气不接下气。

我结结巴巴对故事里的人说："你叫什么名字。"

从你叫什么名字开始，后来，就有了一切。

003

他刚工作的那一年出了车祸，躺在医院里。腿被钢板固定着，疼得不成样子，每天都在病床上嗷嗷叫唤。那时候就连我碰到他的床他都感到不舒服，我能做的只是没日没夜地一直陪着他。

有的时候我给他讲班里的学生们发生的好玩的事，有的时候我们一起和隔壁病床上的正处于青春期的男孩聊天，那个男孩和同学打闹，撞在墙上把胳膊撞骨折了，也有时候我们一起看电视，看《舌尖上的中国》里的辣椒油，看《非诚勿扰》里的12号女嘉宾……

不过更多的时候是他痛苦地呻吟着。

对女人来说，爱他，就会把他当孩子、当父亲，恨不能把骨血溶解于他的身上，把心拧成一股绳索。所以每每此刻，我都一万分心疼，恨自己无法和他一起分担。

后来他爷爷执意要从老家赶来医院看他，老爷子八十多岁了，身子骨还算硬朗，拄着拐杖弯着腰，他是他们家族的大孙子，虽然爷爷行动不方便，但说什么都要来看他。

爷爷在家人的陪伴下推开病房的门时，他正疼得头冒虚汗，我站起身，给爷爷搬了张凳子坐在病床边。

爷爷耳朵不好使，听不到我们在说什么，但是老人就坐在病床边的板凳上，看着他心爱的大孙子，也不多说什么，就从口袋里掏出一方手绢，颤巍巍地抹眼泪。

他强忍着痛苦深吸一口气，然后半倚在床上，大声朝爷爷的耳边喊："爷爷你哭什么啊，你看我腿都断了一滴眼泪都没掉，你那么老的一个人还哭，丢不丢人啊，别哭了，我好着呢！"他声音特别大，让整个病房的人都转过来看他。

爷爷抬起头，菜花吃力地对他笑着。

后来爷爷离开了病房，他才松了一口气，继续那种很痛苦很狰狞的面部表情。我坐在旁边紧紧握着他的手。

很久很久的后来，他对我说："因为你爱我，我才能在你面前卸下所有防备，卸下那些沉重的压力，我可以对你说我好痛，我也可以在你面前表现我的脆弱，甚至可以在你面前肆无忌惮地哭，我知道你担心我，但比担心更多的是，你理解我的难过。因为爷爷也爱我，所以我要在他面前伪装起来，装作我一点也不痛，装作一点也没事，他也懂我，他也担心我，但是都是不一样的。"

从我认识他之后就基本没见过他掉眼泪，他是个特别刚硬的男人，极少展示性格中脆弱的那一面。我想只有足够亲密的人才能长驱直入他的内心，感受他的脆弱，抚摸着他内心温暖的角落。

写这本书时，我问他爱是什么，他想了很久，告诉我说："爱是一种放松，是可以展示自己所有的软弱。"

曾经的我总试图用各种各样的方式来证明爱的存在，我占有他，不允许他和别的女孩儿多说一句话；我引导他，企图站在一个制高者的角度征服他；我爱他，巴不得把全世界最好的东西都拱手相让于他；我也偶尔会愤恨他，害怕因为我过于爱他，他就轻易地在我的情绪里占了上风。

总之，在我们相爱的最初，我认为的情爱是博弈，是带刺的我想靠近他却刺痛他，是带有满腔热血的我想靠近他却燃烧他。

愿从某天起，我只是他逗留的旷野，他可以抱着我在草地上咕噜咕噜地打滚，我们一起滚落到春天里。

酱油
爆炸了

001

搬到新家后，我自告奋勇要做第一顿饭，我问菜花想吃什么，他表示只要是我做的他都喜欢吃。

我笑眯眯地从网上找了个菜谱，什么啤酒鸭、土豆烧鸡、酸菜鱼、红烧猪蹄任他选择，他看来看去，还是忍不住问我："要不咱们就吃个凉拌黄瓜？"

我摇摇头。

"那再加一盘凉拌花生米？"

我没好气："你是信不过我不成？"

其实在此之前，我从没做过什么烹饪时间超过十分钟的菜，再加上曾经的我在菜市场里拿着一把茼蒿问老板这把菠菜多少钱，以及我除了尝以外，再也找不到第二个方法来分清白糖和食盐……我觉得他信不过我是正常的，如果连我这样人神共愤的烹饪水平也能被信得过，那就是他不正常了。

他忙解释："信得过信得过！"

我心满意足地点点头，"那今天我就给你露一手！"

然后他颤巍巍地指了指那道看上去最简单的酱排骨，还特小心问我："行不行，不行我再换个简单的？"

啊！这简直是对我的侮辱啊！

不就是一道酱排骨嘛，这有什么难的，我让他安心坐在家里打游戏，想怎么玩就怎么玩，只要别打扰我制造这道美味佳肴就行。

然后我就出门置办食材去了。

回来后我把厨房门反锁，一个人在里面忙活，我要给他制造一个惊喜，我要让他知道我即将是烹饪界一颗冉冉上升的璀璨新星……

洗菜的时候，水溅在水槽里哗啦哗啦的，他敲厨房门："水很凉的，你不要沾凉水，你开门我来洗！"

翻炒排骨的时候，沾着水的排骨一入油锅就噼里啪啦地响，他又敲厨房门："小心油星子溅到你，你开门我来炒！"

我都没开门，说好的我一展拳脚，怎么能因为一点点小困难就退缩呢？

后来我放了白糖、花椒、盐、大蒜什么的，总归是家里能找到的佐料都被我放了一遍。翻炒出来以后，除了不怎么熟和不怎么有颜色以外，也没有别的大问题了。研究了好一半天，我终于发现了其中的奥秘，原来是我把白醋当成醋放，而把陈醋当成酱油放了，所以这是一锅没加酱油却加了两遍醋的——酸排骨！

不过没关系，第三步是高压锅煮，还有补救的机会。我把刚才那一堆加了佐料的排骨放入了高压锅，又倒了小半袋子酱油，扣住锅盖。

一分钟后，我快乐地憧憬着着酱排骨的出锅……

两分钟后，我仿佛看到了菜花吃到美味的酱排骨时露出的喜悦的笑……

几分钟后，我发现案板上的生姜忘了放，于是我又打开了高压锅……

说时迟那时快，我刚一开锅盖，只听"砰"的一声，锅里的排骨和酱油齐飞！菜花也由敲门变成了使劲捶门："你在干什么？！什么声音？！快开门！你没事吧？！"

我也被吓得不轻，赶紧打开门，语无伦次："我不知道，不知道怎么了，高压锅怎么炸了呀！"

他呆住一样盯着我，三秒后，他带着哭腔："快，快去医院，你受伤了，炸到脸了。"

我愣住了，我并没有什么感觉啊，我抬起手轻轻摸脸……然后手上被糊上了一层酱油。

等菜花终于反应过来的时候，他已经是一脑门的冷汗。他又惊喜又愤怒，差点抱着我号啕大哭。

那天，我们拥有了一个毕生都不会忘记的下午，从中午到傍晚，从阳光灿烂到日薄西山，我们一直在不停地清理酱油爆炸的案发现场，雪白的天花板，清新的壁纸，洁净的瓷砖，无瑕的玻璃……我们新家的一切，都被溅上了万恶的酱油！

终于忙完已经是晚上了，他炒了西红柿鸡蛋，我吃的时候特别委屈："搬家后的第一顿饭被我毁了，都怪我。"

他给我夹了一大块鸡蛋，说："没事，等我们老了我们肯定都不记得酱排骨了，但我们肯定记得酱油爆炸了。"

002

我真正意义上给他做的第一顿饭是岐山臊子面。

在我们家乡，臊子面就跟沙县小吃一样，遍布了我们小城的各个角落，可我们谁也没吃过正宗的臊子面。

后来一次菜花去西安出差，回来告诉我臊子面各种好吃，我一拍桌子："这个简单，下次我给你做！"

他努努嘴，指指厨房，一脸"你可别忘了上次酱油爆炸了"的表情。

很快，机会就来了。几天后的一个下午，他打电话给我说当天要加班，让我在外面吃了饭再回去，他自己晚点回家随便搞点吃的就好了。

我当即心血来潮地一拍大腿："你回家可以吃到臊子面了呦！"

半小时后，我手机上发来一个word文档——《正宗臊子面的烹饪秘笈》。我一点开，呵！图文并茂，从准备食材到爆炒的火候和时间，从猪肉丁切多大的块儿到盐要放整个勺子的几分之几，详详细细地写着，没有一点儿疏漏。

我真是恨自己没有早几年得到这本烹饪秘籍，不然我一做饭，这十里八乡的乡亲们肯定都要闻香而来了……

下班后，我火速奔向菜市场，按秘籍上的指示一一购买食材。七分瘦三分肥的带皮猪肉，传统的手擀面条，好像马上就会化掉的嫩豆腐，还有新鲜的木耳、胡萝卜和黄花菜。总之每一样食材我都在尽全力挑选最好的。在我看来，随随便便地做饭是对食物的不尊重，也是对你要做饭给他吃的那个人的不尊重。

拎着食材回到家，我又赶紧按照秘籍上的指示操办起来。用温水泡木耳，把豆腐片薄，旺火翻炒，文火焖干，每一个步骤我都十万分小心，就像小学时考数学最后一遍检查时那样仔细和忐忑。

从下午六点下班，到菜花晚上九点加班到家，一整个晚上的时间都被我用来做这份臊子面。

当我听到他把钥匙伸到锁孔里扭开门的声音时，我刚好把那碗花费我一晚上的时间和精力的臊子面端到餐桌上，汤上飘着鲜嫩的小蒜苗，面条黄灿灿的千辽百回，看着实在让人动心。虽然我还一口未尝，但我知道它一定很美味。

菜花进门看到我做的臊子面的那一瞬间，明显露出了惊讶的表情，他连鞋子都顾不得换，急急地尝了一口，然后整个眼睛都亮了起来！

"太好吃了，简直比我在西安吃过的还好吃！"

我心里松了一大口气，又装作满不在乎的样子："我只是随便做的，我的厨艺可精湛着呢！"

他用筷子挑起面条送到我嘴边："快别装了，我已经看到你嘴角闪现的那一丝微笑！"

至此，我终于完成了一直以来"爱他就给他做好吃的"的心愿。

那晚，我偷偷问他："那个秘籍是从什么网下载的？真是太良心了，一雪酱油爆炸了的前耻啊。"

他眼皮也不抬："傻瓜，那是我自己一个字一个字写的，从你说你要做臊子面的那时起，我就开始动工了。"

003

我做菜什么的特别笨，实在是没什么做菜的天赋，结婚后捣鼓了好几个月，我的做饭水准依然维持在学前班水平。民以食为天，在那时菜花实打实的是家里的顶梁柱，因为做饭的重担压在他一个人的肩上。

一次我下班早，路过菜市场的时候，突发奇想地想为他做一顿可口的饭菜。我想，烹饪是一项生活的艺术，对食物付出的热情和耐心，也就是我愿对他付出的热情和耐心。

后来我买了胡萝卜茄子什么的带回家。当我在家刚洗完菜时菜花就回来了，趁他去换鞋洗手的时候我把胡萝卜放上案板准备切，打算按照之前在网上看到的切成滚刀块那样。

毕竟是人生中首次尝试滚刀块，果不其然，我一切，胡萝卜顺势一滚，然后一个不小心，再一次落刀就结结实实切到了自己的手指头。一瞬间，一抹血渗出来，切掉的那个胡萝卜块也咕噜咕噜地滚到地上。

当时菜花刚好洗完手过来，扑入他眼帘的是滚到地上的胡萝卜块和我手指上汩汩冒出的血……

他站在那里完完全全地呆住了，一动不动，直勾勾地看着滚到地上的胡萝卜块，又看看我，刹那间，眼泪哗哗地下来了……

"手指头切掉了可怎么办啊！"

004

还在读大学的时候，我俩还是北京南京苦逼异地恋，刚确立关系的那个学期他来南京找我，因为那时候关系并不是特别亲密，两人都挺不好意思的。

我们一起在街上闲逛，到了吃午饭的时间恰巧看到一家KFC，他就提议去吃KFC好了，虽然我并不饿，但还是笑笑说都好。

进了门他问："想吃什么？"

"都可以的，你帮我点吧。"

他想了一会儿："哎呀我也懒得点，要不全家桶？"

"唔……可以，不过你吃得完吗？"向天发誓，那天我是真的没什么胃口，我觉得两个人吃一桶都不一定吃得完。

他说我太小瞧他了，没问题的，五分钟后……他抱回来了两个全家桶，一人一桶。

他一边吃一边对我笑，大概潜台词是：你都能吃完，我怎么可能吃不完？

005

想起婚后第一年过年跟菜花回家的时候，婆婆拉着我聊天，聊到菜花小时候。

她说菜花小时候特别喜欢吃烤蛋卷，每次我婆婆烤蛋卷的时候，菜花就搬个小板凳坐在旁边看着，她烤一个菜花吃一个，后来越吃越饱，就对我婆婆说："妈你烤慢点，我跟不上速度吃完了。"

后来我和菜花一起在家炸茄盒，他掌勺。他炸一个我吃一个，因为火候总控制不好，炸焦的他就直接扔了。

后来他急了："媳妇儿，你慢点吃，我炸的跟不上你吃的速度啊！"

菜花曾经告诉我说，人不开心的时候其实就是空空的胃在作祟，当你感到孤独的时候你该去吃桂花糖芋苗，甜腻的味道让胃凸起来的时候，你就不会感到孤独了。当你失望的时候，你该去吃赤豆小元宵，挨挨挤挤一大碗的小元宵下肚，它们就可以与你分担失望了。

他还说，食物是有情绪的，愿意与你分享食物的人，代表着愿意你加入他的人生。

我问他："你愿意与我分享炸茄盒，是不是代表愿意我加入你的人生？"

"不，我炸的全被你吃了，代表我愿意让你霸占我的人生。"

006

临近夏天的时候，我吵着闹着要减肥，经常不吃晚饭，而且任凭菜花怎么劝我都不吃。

后来他提议陪我一起减肥，天天给我做水果沙拉，苹果、梨子、香蕉、菠萝、番茄、紫包菜、生菜等等，咕噜咕噜一大盘，抹上沙拉酱，然后我们一起吃。偶尔也蒸一些粗粮比如红薯、玉米什么的。

这样的日子真是清心寡欲啊，这样的吃法让我对床上的菜花都提不起精神来。

没过多长时间，我就彻底完败了，什么减肥，什么变美，统统滚到一边去吧！那段时间我经常在上班的间隙跑去超市买些薯片饼干什么的。

倒是菜花自己默默坚持下来了。

所以后来叫叫嚷嚷着要减肥的我没瘦，本来体型就很好的他瘦了一圈。

他倒是很开心："媳妇儿，你以前给我买的那条太窄的裤子现在我能穿进去了，你看穿着帅不帅？你眼光真好！"

007

菜花会做全世界最好吃的西红柿炒鸡蛋。

他每次都要用三个西红柿，两个西红柿去皮切片，一个西红柿去皮剁成泥。切片的西红柿用来炒，剁泥的西红柿用来浇淋，最后一刻盛在盘里时，会有一片红淋淋的西红柿汁浆铺在嫩黄的鸡蛋上。那感觉就像是春天里的嫩叶，那些绿色险些要流淌出来一样。

菜花也会做全世界最好吃的白米粥。

他会在菜场买来荷叶煮粥，白米汤染上温润的绿叶，会带有莲瓣的清香，再加上冰糖，荷叶在米粥煮熟即将熄火时放入覆盖。

以前的我不懂。"西红柿炒鸡蛋就是简简单单的西红柿炒鸡蛋，这么麻烦干什么？白米粥就是白米粥，这么费劲干什么？"

他笑笑："你有吃出一点点不一样吗？"

"有。"

"那就够了。我是想让你吃到最好的，哪怕你并不察觉什么，但是我给你的都是我认为最好的。"

008

菜花有句名言："当你很饿的时候，要去自助烤肉店吃蘸了可乐的烤鸡翅，泡在咖啡里的冰激凌球，牛肉撒胡椒，鱼片拌芥末……这样才能把自助也吃得高大上。"

某次我俩一起去吃自助烤肉，他烤了一大锅的培根和金针菇，烤完后把金针菇卷在培根里，然后用牙签穿过去固定起来。后来做得太多了，就把它们摆在烤锅的一边了。

我们的桌子靠近过道，来来回回好多人都意味深长地看着我们的培根卷金针菇。终于有个大叔在我们桌前徘徊了好几次，忍不住问："你们这个是从哪儿拿的？"

"不是拿的，是我们自己做的。"

男人的眼睛亮起来，"怎么做？教教我，我去给我儿子也弄个！"

菜花指了指菜品区的培根和金针菇，男人如获得葵花宝典一样扬长而去。在菜品区巡视一番后拿了培根和金针菇，又专门又跑到我们桌前问："我拿的对不对？"

菜花点点头。

大概五分钟后，菜花去卫生间，经过男人和他儿子的那个桌子。回来后告诉我说："幸好我去卫生间了！"

"怎么了？"

"那个大叔把生的培根和金针菇卷在一起穿上牙签放在锅里烤呢，还好我告诉他要先烤熟，再穿牙签。"

我哈哈地笑："幸好啊，不然大叔和他儿子要坐在那里烤到明天。"

009

菜花先生擅长给我做各种各样的好吃的，每次他在厨房里忙，我坐在客厅里闻着飘来的香味都能淌下口水。他每次也只是笑眯眯地摸摸我的头，叫我"小吃货"。

其实一个人的属性是不是吃货，除了看他如何面对美食，更要紧的是看他潜意识里如何对待美食。从这一点来说，菜花比起我来，真是毫不逊色。

去年农历正月十五我们一起去苏州游玩，古城区张灯结彩，好不热闹，后来我们一起在观前街看一位师傅捏糖人，一边看一边就和师傅聊了起来。

师傅随口一问："你们那有十五元宵夜吗？"

还没等我张口，菜花抢先一步："有啊，砂锅米线，牛肉炒饭，花甲，三鲜炒河粉，都是十五块！"

师傅不作回答，一副看贯世事的样子继续捏糖人。

我赶紧拉走了菜花，走在花灯下我终于忍不住哈哈大笑："师傅问你的是，你们那有没有十五，元宵夜！"

菜花一惊："啊，我以为他问的是有没有十五元，宵夜……"

010

某个周末晚上我和菜花一起去家附近的一个大型超市，刚巧碰到卷纸打折，我们就买了六提卷纸，外加一个脸盆，结完账我们一起抱着卷纸端着脸盆出门。

刚一出来我们就闻到了一阵子香味，两人一起嗅了好一半天都没弄清楚是什么东西，但唯一可以确定的一点——这一定是能吃的东西。

于是我们就提着卷纸拎着脸盆，循着气味沿路寻找，可到某一处时气味竟然断了！

这时一位大妈迎面而来，说时迟那时快，菜花赶忙上去："阿姨您好，请问您知不知道空气中这个气味是什么？"

大妈狐疑地看看我俩，然后深深吸了一口。路灯下，我们三人静静地、仔细地品味着这来之不易的味道……突然，大妈一个机灵反应过来："好像是铁板豆腐！你们接着往前走，我刚才过来的时候路过卖铁板豆腐的了，推个小车，你们去看看。"

我们一起向大妈投以感激的目光，然后一起向前飞奔去。

最后我们在追了两条街过了一个红绿灯后，终于拦下了蹬着小车卖铁板豆腐的小商贩。小商贩显然也是被我们总共抱着六提卷纸共计七十八卷外加一个脸盆的阵势吓坏了，在给我们做好铁板豆腐后还很深情地对我们说："这是我卖铁板豆腐最成功的一个晚上。"

011

我们家的大厨是菜花先生，因为他以前很喜欢吃可乐鸡翅，所以这位大厨自打婚后就苦练可乐鸡翅的技术，如今大厨最拿手的一道菜就是可乐鸡翅。

前几天他又做了可乐鸡翅，纯色的白瓷盘里，几只棕红色的鸡翅躺在浓稠的黑色酱汁中，特别诱人特别美味，看得我直咽口水。

他笑眯眯地夹了一只鸡翅放到我的碗里，特别温暖地说："快吃吧，这是我最爱的！"

我看着鸡翅，心怀不轨地反问他："你最爱的不是我吗？"

他一愣，三秒后，低下头望着一盘的鸡翅，然后说："我在跟鸡翅说话呢，你插什么嘴。"

接下来我就乖乖啃鸡翅不说话了，全程中，我的脑门上都大写着一个字：服！

012

我最爱吃鸡腿，以前我和菜花一起逛街时我们总买鸡腿吃，可他每次就只吃一个，剩下的全给我吃，每次我让他一起吃，他都是摆摆手说自己不喜欢吃鸡腿。

那时候的我一边逛街一边啃鸡腿，旁边的菜花一手拿着我的包，一手拿着纸巾准备随时替我擦嘴。

日子过得倒也单纯快乐。

我是在一个偶然的机会发现那个专属于他自己的小秘密的。

那次我在他家吃饭，我婆婆炸了鸡腿，先夹给我一个，喜滋滋地炫耀："快尝尝！我炸的鸡腿可好吃了！"

也夹给菜花一个，他很快就吃完了。

过了一会儿，我婆婆又夹给我一个："好吃就多吃几个！"

然后转过头问菜花："你不是最喜欢吃鸡腿吗？怎么不吃了？还等着我给你夹？"

我夹着鸡腿的筷子僵在半空中。

后来我想，也许美好的并不是爱情本身，而是陪伴我的人，他很美好。即便是往后平淡的柴米油盐，也因为他在我身边，而让我多感受到几分人间烟火的情味。

比夏天
还温暖
的事

001

某次我和菜花一起在一家小店里吃面。

小店不大，只能摆三五张桌子，顶头有个电视机挂在墙上，我们去的时候正是下午三点，店里没什么人，我俩就选了电视机前的那张桌子，然后排排坐正好可以边吃边看。老板娘给我煮好面之后也搬着凳子坐在我们桌子的旁边一起看电视。

那天正巧在播一个国产电视剧，女主角挺着大肚子躺在医院的病床上，情绪特别激动，床下站着两位中年女性，一个穿着讲究，一个提着包唯唯诺诺的样子，按照电视剧以往的规律判断，应该是男主角的富豪妈妈，以及他家的保姆。

女主角两只手保护着肚子，声嘶力竭："这是我的孩子，我要保护他！"

中年妇女："这个孩子不能生！"

"我的孩子，我有权生他！"

"我给你一百八十万，你打掉他！"

……

我和菜花选择继续低头吃面了。

倒是老板娘长吁短叹，好像也要有人给她一百八十万逼她上演国产剧似的。

我看着老板娘的样子特想乐，扭过头问菜花："要是我是这个女主角，你说我该怎么选择？"

"吃你的面吧，谁有那么多钱给你。"

002

菜花很爱小动物，尤其是猫咪，他说猫咪很有灵性，温顺又爱干净。我们楼下有许多流浪猫，每次看到他蹲下来温柔地抚摸那些小猫的后背，或者耐心地给它们喂食的时候，都让我感觉原来男人的心也可以这么柔软。

上个周末的傍晚我们约好一起出去吃饭，他下班后在楼下接我。

当我急慌慌地梳妆打扮好，拎着小包包，踩着高跟鞋一路咚咚咚地跑下楼时，远远地就看见他对我做出"嘘"的手势。于是我小心翼翼踮起脚尖轻轻走近他，他一脸很不高兴的样子说："你下楼的声音太大了，把小猫咪都吓跑了！"

我看看四周，并没有见到一点猫的影子。"哪儿有小猫？"

"有的！我刚才等你的时候一直在喂它，就是认识我的那只，可是你下来动静太大了，它就吓跑了。"

我笑着问："认识？你叫它一声看它答不答应？"

还没等我反应过来，菜花先生，这个堂堂八尺大汉朝着过道旁边郁郁葱葱的草丛"喵"了一声。

果然一只有棕色耳朵的白色小猫咪怯怯地探出了脑袋，然后转身又躲进了草丛。很美妙的，像一只奶油雪糕化进了绿油油的夏天里一样。

003

某次我们一起手拉手逛街，经过一个店面时耳边响起了熟悉的声音："浙江温州！浙江温州最大皮革厂——江南皮革厂倒闭了！老板黄鹤，吃喝嫖赌，欠下了3.5个亿，带着他的小姨子跑了！我们没有办法，拿着钱包抵工资！原价都是一百多、两百多、三百多的钱包，现在全部只卖二十块！统统二十块！黄鹤王八蛋！你不是人！我们辛辛苦苦给你干了大半年，你不发工资！你还我血汗钱！还我血汗钱！"

菜花拉着我加快步伐，尽快远离皮革厂的洗脑广告。

走了一段后，他忽然一本正经地问我："你知道温州那个皮革厂有多大吗？"

"多大？"

"老板跑路都十几年了，存货还没卖完，你想象下……"

004

某次和菜花一起站在公交车上，车上人挤人的，我们旁边是穿着中学校服的一个男孩和一个女孩，他们两人咬着耳朵说悄悄话，不知道说到了什么，女孩的脸泛起一阵子红，一种想笑又不敢笑的样子。

年轻真美好。

我一下子少女心爆棚，模仿十六七岁的女孩口吻抬头问菜花："你喜欢我吗？"

这家伙脸皮比城墙还厚，他回答："这种基本定理，你怎么都不做笔记？"

005

菜花有个老同学，年纪一大把了还没把初恋送出去。这同学长得不算帅，倒也还算精神能干，不是什么大富大贵的工作，但也算小富即安了，同学性格也不错，就是有点害羞和内向，一见到姑娘要么变成哑巴，要么变成结巴。

更要命的是，这位同学丝毫不理解来自另一个星球的女人是怎样一种生物。所以他每次遇到动心的姑娘，从来都不会花心思送什么小礼物，也不嘘寒问暖，都是像男生间交朋友一样简明扼要，直接站在人家姑娘面前，然后结结巴巴地问对方："可可可可以做朋朋朋友吗？"

菜花为了这位同学能早早搞定一个姑娘，抱得美人归，把自己多年的秘笈都告诉了他。

吵架无关对错，但不管谁错都要男生主动认错。

哄女生三大绝技：夸夸夸，吃吃吃，买买买。

女生问你她穿哪件好看，一定不能说都好看，不然她一定会说你敷衍。正确的做法是大脑放空5秒，然后随便指着一件说好看，她一定会夸你眼光真好。

还有最重要的一条：因为女孩子们出门前要洗头化妆搭配衣

服，所以最好提前五年左右约她。

……

所以菜花先生，你就是用这样烂俗的伎俩搞定你老婆我的吗？

006

杨柳依依的暮春三月，万物复苏，流感也恣意横行起来。菜花染上了流行性感冒，大半个月过去咳嗽总不见好，我担心得很，拉着他要去中心医院挂号看病，医生草草询问了三两句就给开了一些感冒冲剂和胶囊什么的。从医院出来我还不罢休，又非要拉着他去看老中医，要好好调理一番。

他说我太小题大做了。我说你可是我们家的主心骨啊，生病了怎么能是小题呢，那可是我们家的头等大事啊。

最后他拗不过我，去中医大夫那里也煎了几服药。

后来回到家，他嫌药太苦，总不肯积极吃药，他跟我商量说："这药又多又难吃，胶囊和煎药能不能就只吃一种啊？"

我一边逼他乖乖就范，一边回答："没听过吗？西药治标，中药治本，中西结合，治标治本。"

他一脸苦相："我觉得不是这样。"

"那是怎样？"

"西药治标，中药治本，中西结合……制成标本。"

他话一出口，我就被他敏捷的反应力惊住了，不过我还是很快镇定下来，一掌拍到他的背上："谁允许你生病了脑袋还这么灵活的？！"

007

我从高中起就开始脱发，每次一洗头发就要掉一把，这些年尝试了很多方法都没用，我的头发让我伤透了脑筋。

有一阵子经常听程序员因为压力大工作强度高而早早谢顶的新闻，我故意使坏，跑到菜花身后无限温柔地抚摸菜花老同志的头顶，然后像老太太一样叨咕："哎呀，我可要好好照顾你的头发啊。"

他用鼻孔"哼"了一声："你先好好照顾自己的吧！"

我怒："能不要再说我的头发了吗？"

他很识趣地回答："好的。"

没过一会儿，他悄悄跑到我身后揉我的头发，我想这家伙肯定心怀鬼胎，就问："你在干吗？伺机报复？"

"不敢说。"

"说吧，在干吗？"

他反将一军："在照顾你的头发，我怕你先比我'聪明绝顶'啊。"

幸好当时他按着我的头，不然我铁定要站起来揍他。

008

上海迪士尼乐园火爆开园的时候，我在网上看到一个介绍迪士尼工作人员的帖子，帖子里说虽然工作人员的薪水并不算高，但可以有带家属免费游玩的机会，我转身对菜花说："迪士尼门票还是挺贵的呢，要是你是里面的工作人员就好了，我们可以免费玩！"

菜花当时正在处理工作上的事，头也不抬："如果我是工作人员，我还可以维护后台程序；你要是工作人员，那只能打扫卫生了。"

靠！

"我还可以扮演玩偶啊，什么米奇、唐老鸭、匹诺曹……"

还没等我说完，菜花还是那副臭表情打断我的话："你要演就演匹诺曹的鼻子。"

"为什么？"

"满满的全是戏啊。"

009

我喜欢写小说，尤其是青春期故事，我有很多以第一人称写下的"我"的各种爱情故事。为了让小说里各种人物的形象更饱满丰富，我杜撰出了一系列人物，比如闺蜜，老师，以及……前男友们。对的，不是一个前男友，也不是两个，很抱歉，也不是三个，而是一群前男友们。

有的时候写得走火入魔了，我会忍不住为我编出的故事而感动流涕，倒是菜花拿着纸帮我擦鼻涕，还不忘一脸嫌弃地警告我："你行了啊，我才是真实存在啊！"

不过大多数时候，他还是在我每晚噼里啪啦敲击键盘的时候，对我端茶送水，揉肩捶背的，还经常鼓励我："媳妇儿加油啊！"

小说完成之后，他永远是我第一个读者，他迫不及待地翻阅着，刚开始还看得津津有味，把觉得我写得好的那部分挑出来读给我听，可是读到后面，他就开始皱眉头了。

他："你这个前男友，买了杯奶茶就让你浑身暖洋洋的，我可是每天早起给你热牛奶。"

我："那个是编的啦！"

他："还有这个，你还说他的手细腻温暖，我的手皮糙肉厚你怎么不写到书里？"

我："都是编的啦！"

他："靠！最不能忍的是这个，他爱着你的感觉就像被整个世界笼罩着，那请问你是怎么从世界里挖出一个洞看到我的？"

我："说了都是编的啦！"

……

半小时后他还是拿着小说欲罢不能，我在一边嘚瑟，"怎么样，有没有觉得我这个优点还挺厉害？"

"什么优点？"

"编故事的优点啊！"

"哦。我以为你说爱我这个优点呢。"

"爱你是本能，哪里厉害了？"

"怎么不厉害啊！把我爱得神魂颠倒，让我莫名其妙地接受你这么多跳出来的前男友！"

010

我们俩一起看电影《苏州河》，贾宏声扮演骑摩托车替人送货的马达，周迅扮演纯真少女牡丹。其实我有时候装文青还挺像回事的，这种小众文艺片能把我感动得稀里哗啦，但这显然不是菜花的菜，但他还是耐心陪着我看。

记得里面有一段台词特别感人：

"如果有一天我走了，你会像马达那样找我吗？"

"会呀。"

"会一直找我吗？"

"会呀。"

"会一直找到死吗？"

"会呀。"

"你撒谎。"

看到这个片段时，我紧紧握住坐在我身旁的菜花的手："如果哪一天我走了，你会像马达那样找我吗？"

菜花也学着电影里那样回答："会呀。"

"会一直找我吗？"

"会呀。"

"会一直找到死吗？"

"会呀。"

"你撒谎。"

他沉默了三秒："我没撒谎，我会一直找你的，毕竟你身上带着一百多斤肉呢……"

011

三八妇女节我们学校的女老师都放假了，因为那天不是周末，菜花上了整整一天班，我也只好一个人待在家里看看电视读读报，也洗了衣服做了饭，度过了一个无比无聊又无比劳累的假期。

晚上他回来，我向他吐槽："什么妇女节嘛，分明是妇男节，我这一天就做家务和发呆了。"

菜花很同意我的观点："女同志放假，广大男同志虽然不属于妇女，但作为女同志的日用品，也该考虑考虑放个假啊。"

"什么？作为女同志的什么？"

"日用品啊，难道不是吗，你们逛街我们要负责扛包，你们做饭我们要负责打下手，你们看电视我们要负责参与评论……"

"呵呵呵呵……就这些？"

他一拍脑门，恍然大悟的样子："哎呀老婆我错啦！我们也是夜——用——品！"

真是够了！

012

盛夏就要过去的时候，梧桐树依然像孔雀开屏一样，张开大片大片的苍翠。

菜花先生已经出差好几天了，也不确定什么时候能回来，没有他在的家里，冷冷清清的，我一个人看书浇花，一个人洗衣做饭。

在某个傍晚我随便炒了点饭，独自坐在饭桌前一边看电视一边吃时，他打来电话："吃过饭了吗？"

我回答说："正在吃呢。"

"吃的什么呢？"

"炒饭。你呢，吃饭了吗？"

"没有呢，中午吃得太咸，没什么胃口。"

我笑着问："太咸？"

"是啊，我闲得一直想你啊。"

这个季节的傍晚已经渐有凉意，风从窗外吹进来，丝丝凉凉，人立马变得好软好软，像一支在阳光下散步的雪糕。

原来，我的世界有你，是比夏天还温暖的事。

杜鹃
归来

001

海尔弟将人生中的第一次失恋献给了杜鹃，他在高考前夕和杜鹃分手后，从此就像遁入空门一样不再过问世间男女之事。大学四年时光，四分之一被他用来踢球，四分之一被他用来看球，另外一半时间用来吃喝拉撒睡，总之和爱情有关的事他绝不沾边。

在他毕业后的第三年，因为一些机遇和巧合，也来了南京工作，一个周末我们请海尔弟来我们家吃饭，好几年不见的老同学，一见面又是当年十七八的感觉。在饭桌上，海尔弟感慨，他说他二十五了还是一只单身狗，真是羡慕我和菜花这么多年一直在一起，如果杜鹃……

海尔弟还没说完，菜花就赶紧打断他，一脸痴相，不改当年那副德性。"老婆老婆快喂我个鸡腿，让他尽情羡慕。"我一愣，赶紧配合起来笑眯眯地挑了个最大的鸡腿送到菜花嘴里。

海尔弟怒："我靠！你俩这样秀恩爱太不厚道了。"

菜花很贱地回答他："那你快去动物保护协会告我们啊！"

"去那儿告你们什么啊？"

菜花大言不惭："告我们虐狗啊。"

……

那天他临走前，菜花拍拍他的肩膀："如果你还想念她，你就去找她。"

002

冬天来临的时候，海尔弟终于传来捷报，他有女朋友了。这个女朋友不是别人，是杜鹃。

他是打电话告诉我这个消息的，当时我在过街天桥上，兴奋得差点从桥上跳下来。八年了啊，八年够打一次法西斯了，我没问他们是怎么又重新联系重新在一起的，这些都无关紧要，要紧的是，有一朵杜鹃又重新开在了那年一个少年的心尖上。

后来我们大家一起吃饭时，杜鹃跟我讲，这些年她没谈恋爱，跟谁在一起都不是想要的感觉，现在和海尔弟又重归于好，她才明白这才是她想要的味道。

我笑着追问："什么味道？"

菜花说："肯定是爱情的味道啊，就像我们家，厨房里的老干妈，卫生间里的臭袜子，阳台上晒着的花被子，都是爱情的味道。"

不知道怎么的，感觉挺恶心的一句话，听得我眼泪汪汪。

003

某个周末约着杜鹃一起逛街，俩人瞎聊，她说这几年她妈逼着她相亲无数，从大胡子老头到二十岁愣头青都见过了，就是没有看对眼的，杜鹃一度怀疑自己有"恋爱障碍"。

我笑："焦虑过头了，怎么可能啊。"

杜鹃回答："真的，恋爱和结婚都需要冲动的，可是我以前对谁都没冲动。"

"我跟你不太一样，我恋爱和结婚的时候特理性，都是深思熟虑的结果，倒是结婚两年后的现在感觉自己经常冲动。"

"你现在还冲动什么啊？"

我意味深长："某人经常损我，我有拔刀的冲动啊。"

菜花半晌不出声，这会儿冷不丁地冒出一句："拔刀自刎？"

004

海尔弟向杜鹃讲起这八年，从他们高中毕业时分开到他们重新遇见的时光，前四年海尔弟在济南上学，看到了小学课本上的那个趵突泉，还有两年在北京北漂，交不起房租住地下室，后来来南京的一个公司上班，某天被老板一顿臭骂，一怒之下就辞职创业。

杜鹃一边听一边笑："真是太能折腾了，你带着我一起折腾，两个人会动静大一点。"

海尔弟说："不折腾了，现在和以前不一样了。"

"有什么不一样？"

"以前想要仗剑天涯，现在只想陪你一起刷牙。"

005

海尔弟和杜鹃刚在一起的那阵子，俩人整天卿卿我我，甜甜蜜蜜，腻腻歪歪，简直就是两只捧着一大罐子蜂蜜的大狗熊。

杜鹃以前不吃辣，倒是海尔弟无辣不欢，现在杜鹃也跟海尔弟一样没辣椒就吃不下饭。杜鹃以前从不看什么枪战片，现在能捧着一大桶爆米花坐在海尔弟旁边看《机动部队》，还有左小祖咒的歌，莫名其妙地也跟着海尔弟喜欢上了。

杜鹃："因为喜欢你，所以你喜欢吃的东西都特别美味，你喜欢的电影都特别精彩，你喜欢的音乐都特别动听，你喜欢的异性都特别丑。"

海尔弟听得如痴如醉，回味了一阵子后："哦，你干嘛说自己丑。"

006

我们高中的时候，杜鹃和海尔弟的数学都特别好，杜鹃是能考高分的那种好，而海尔弟是能在数学课上和老师激情对战的那种好。

某次小测验，最后一道题目全班阵亡。第二天的数学课上老师讲解那道题，一口气刷刷刷地写了满满一黑板，这时大多数同志已经阵亡，只有少数几个意志极其坚定的还凭着最后一口气撑着……

就在这时，海尔弟站起来了，他说老师的方法太麻烦，他有简单的方法，于是就在万众瞩目中登上讲台，画了个坐标轴又点了几个点就算讲完了。

显然老师对海尔弟的方法很是不解，可还是硬着头皮不断请教。

刚开始我们这些坐在下面的同学还有点评委的派头，对两人的解题方法进行分析评价，半个小时后，我们就都只敢静静地围观，等着后续发展。

最后一次激战中，杜鹃从椅子上腾的一下站起，直逼海尔弟："你用你这个方法算出答案了吗？"

海尔弟斩钉截铁："没有。"

刹那间，我们全班笑成一团，直夸海尔弟乃真的勇士，杜鹃是海尔弟最大的克星。

时隔八年，据说如今他们俩人的日常娱乐活动就有一项是……一起做高考数学模拟题。

007

海尔弟和杜鹃在结婚前夕搬了新家，我和菜花带着礼物去他家贺乔迁之喜，他们新家的位置特别好，靠近长江，夜里安静时甚至能听到江面货轮的鸣笛声。楼层也高，天空晴朗的时候从客厅的落地窗望出去，能一眼望到长江大桥上的哨岗。

菜花站在窗边喊我过去："快看江边有人放风筝。"

我眯着眼睛看了半天也没看清楚，一着急一句话脱口而出："哎呀，我忘戴眼镜听不清楚呀。"

菜花头一歪，忽然趴到我耳边大声喊："你的耳朵近视啦！"

……

真是分分钟想把他丢到长江里喂鱼！

008

我们在海尔弟家一起看某电视剧，特狗血，还没看十分钟，我们还没弄清楚男女主角之间有什么惊天地泣鬼神的爱情故事时，女主角就出了车祸变成了植物人躺在医院里了，男主角开始每天趴在床头反复练习哭戏。很快更狗血的一幕就来了，女配角上场，对男主角各种勾搭色诱，没几下，男主角的立场就开始摇摆不定了……

海尔弟抢过遥控器换了台。"什么鬼东西，这个男主角简直拉低我们男人的平均素质，我们哪有那么无情无义。"

杜鹃问："那假如说，有一天我变成植物人了躺在床上醒不过来了怎么办？"

海尔弟言简意赅："不离不弃，陪你终老。"

想不到海尔弟谈恋爱没几天，这情话说得这么溜，我迫不及待地想让菜花也表现一下，就转过头问他："那你说，如果我有一天也变成植物人怎么办？"

菜花回答："你别醒过来了，你还能开花呢。"

海尔弟和杜鹃笑得前仰后合，气得我都不知道说什么好，还没来得及用拳头捶他，他又充满仁慈地补充："你放心吧，我会天天给你浇水。"

009

听菜花说，海尔弟私下偷偷问过他是不是"妻管严"，我问菜花是怎么回答他的，他说就凭我这么聪明温柔体贴贤惠，就算是"妻管严"他也乐意。

我嘿嘿地笑，然后一个拳头捶到他的后背上："你别以为你夸了我两句我就没听到你说'妻管严了'！"

其实我对菜花挺温柔的，斗嘴斗不过他的时候，我都是用拳头解决了，"妻管严"谈不上，充其量只是个"家庭暴力"，但是海尔弟绝对是"妻管严"。

某次我们四个人一起在海尔弟家里打牌，一局结束，海尔弟想去抽烟，杜鹃表示不同意，然后海尔弟使出了浑身解数各种哀求，就像一个小孩缠着他妈想要两块钱买个雪糕吃那样。后来杜鹃很勉强地点点头，又给他使了个眼色，海尔弟仿佛得到圣旨一般，拿着一支烟和打火机就直奔厨房了。

五分钟后，厨房里轰隆隆的抽油烟机关掉，海尔弟一脸满足地回来了。

010

有时候我们四个人也坐在一起慨叹青春，一晃十年过去，那些从前的故事如今聊起来都还是历历在目，谁往谁背后贴了小纸条，谁给谁叠了千纸鹤，谁做课间操时偷偷瞄了谁一眼，那些悸动的瞬间和暗恋的小心思如今都可以被光明正大地拿出来作为笑谈了。

这十年里我们都变了模样，我们聊起当年我们班的班长，后来去了某常青藤名校读博，又聊到当年班里那个不起眼的小个子，在某房地产风生水起，还有谁生了双胞胎，还有谁去西藏支援，总归是不一样的生活，也都算心满意足。

海尔弟看着杜鹃，两只眼睛像有光芒射出一样："我最大的收获就是重新找到你。"

杜鹃听到他的话，笑起来两只眼睛弯弯的，像月牙儿一样。

菜花也拉起我的手："这十年和太多人挥手再见，有幸有你一直在。"

真是一反常态啊，结婚后某人一直以损我为乐，忽然这么柔柔的情话说出来，我竟然不适应了。

我随口说："时间真是快啊，我没什么本事，平平淡淡过挺好。"

当我还在回味菜花刚才那句话时，他的声音又飘过来："你怎么没本事了？绑架了我后半生不算本事？"

已婚少女
的
工作日

001

大学毕业后，我进了一所中学任职化学老师，其实当老师可一点儿不比学生轻松，周末他们都放假了，可我还得带一沓练习册回家批改。

那段时间有个河南女教师辞职的帖子挺火的，她的辞职信里只有一句话：世界那么大，我想去看看。

这辞职信写得多洒脱啊，我随口跟菜花感慨："老师和老师是有差距的，有的人在环游世界，有的人半夜十二点还得窝在书房开着台灯批作业！"

菜花走到书架前："是有差距啊，但你比她厉害，世界那么大，你不但可以看看，你还可以转转！"

说完，书架上的地球仪在他的拨动下疯狂地旋转起来……

求我的心理阴影面积。

002

我和菜花去电影院看《我的少女时代》，我抱着一大桶爆米花哭得稀里哗啦的，菜花拿着纸巾一会儿给我擦手一会儿给我擦嘴，还要一会儿给我抹眼泪的，简直招架不住。

从影院出来的时候，我的两只眼睛肿得跟灯泡似的，菜花笑我说这起码有一千瓦。就在这个时候特别巧的，班里几个女生也来看电影，跟我打个照面，我想也没想张嘴就问："你们也来看《我的少女时代》啊？"

几个女生嘻嘻地笑："不看不看，我们看《剩者为王》。"

那天晚上睡觉前，我想起这事随口感叹："已经走过青春的人去看青春片，还没谈过恋爱的女中学生去看过了三十的大龄剩女。"

菜花也感慨："对啊，伪少女去看《我的少女时代》，真正的少女去看《剩者为王》。"

我一个白眼："伪少女？说谁呢！"

"我错了我错了，我老婆是已婚少女。"

"那你是什么？"

他嘿嘿一脸坏笑："我是把已婚少女变成已婚妇女的人啊……"然后他就跟个大尾巴狼似的朝我扑过来。

003

学校安排我和我们年级的教导主任去出差，美其名曰交流学习。

教导主任是一位永远穿着及膝包臀短裙的中年妇女，短发及肩四六分，笑起来时的眼睛和不笑的时候一个样。

我在高中时代就很惧怕教导主任，他们就像是一台移动的消音器，走到哪儿安静到哪儿。虽然这时候我已经是一名光荣的人民教师了，可我的心态还像高中生一样，一见到教导主任，就不敢开口说话。

走之前一大早，菜花在厨房里给我煎鸡蛋，我刷了牙跑去厨房，一脸痛哭状："朕此下南巡，不知会不会遇见大明湖畔的夏雨荷，不过爱妃放心，朕的心永远在你这里。"

他把鸡蛋翻个面："你这是《还珠格格》后传吧？"

出差在外的时候，我就和教导主任住在一起。也是那晚，我发现了她的小秘密。

她睡得早，为了不打扰她，我把电视调成静音，自己看字幕脑补声音，可她刚一躺下，就对我说："你电视该放多大声音就放多大声音，不碍事的，我听力不好。"

这时候我才知道，教导主任一直带着助听器，只不过是那种超隐形内耳式的，我们都不知道。

就这样在一个陌生城市的深夜，我忽然想起我的中学时代，想起那些严厉和刚正得有些不近人情的教导主任。那时的我们总是叽叽喳喳闹成一团，让他们伤透脑筋，也会在暗地里给他们起各种各样的不雅外号，我们的调皮和顽劣都打着青春期的幌子招摇过市。可是那一夜，我却忽然觉得印象中的他们亲切了起来，他们有家有爱人，也有小心翼翼保护的他们自己的秘密。

睡前收到菜花发来的短信："容嬷嬷有没有欺负你？"

容嬷嬷？我这才反应过来，手指飞快回复："爱妃放心吧，后传里没有容嬷嬷。"

004

某次我去上课，铃声响了以后班里一个男生还是趴在课桌上不起来，我走到他跟前问："生病了吗，要不要去校医室？"

男生很勉强地坐直，赶忙解释："没事没事，就是头有点晕。"

　　我又问是怎么了，有事别硬撑着。倒是男生脸红了，支支吾吾说不出话，这时候我感觉全班同学的目光都聚焦到了第一排一个女生身上，旁边还有几个女生在窃笑。虽然不知道是怎么回事，但这个状况我也猜到了一二，我只好装作什么都不知道，继续返回到讲台上课了。

　　后来那节课结束后我在教室外面听到几个女生叽叽喳喳地说，那个男生因为那个女生说他头发的味道很好闻，就一顿狂摇头，然后上课时还晕晕乎乎着……

　　我的天呐！我简直要对每天闷在教室里刷题的中学生刮目相看了，青春期的小心思真让人难琢磨。

　　不过菜花对这件事的评论是："我们在一起快十年了，你怎么从没说过我头发好闻？"

　　这个脑洞太大了，我实在补不起来……

005

　　我们年级的某个班主任特奇葩，四十多岁的大秃头一个，他为了掐灭早恋的苗头，甚至连男女生多说几句话也要盘问一番。

我在家吐槽这个班主任："是可忍孰不可忍，这大秃头肯定没有感受过青春期！"

倒是菜花慢悠悠地说："他又没限制你，你那么义愤填膺干什么？"

"我不是义愤填膺，我是为真理抱打不平。青春期多美好啊，和心爱的姑娘多说几句话都不行了！"

"万一俩人说着说着引火上身怎么办？"

"那就在一起呗，你可别说你也是站在禁止早恋那一边的。"

"对，我就是那一边的。"

我突然来了兴致，抱着他的胳膊问他："那如果高中的时候我们互相喜欢，那你也坚决不早恋？"

"坚决不早恋。"

"为什么？"

他回答："因为我不想因为我，耽误你成为你想成为的自己。"

本来还想说他跟大秃头是一伙的呢，这会儿不知道说什么好了，憋了半天我冒出来一句："我想成为的自己，就是身边有你的自己。"

这家伙立场一下就变了，他说："那我早恋。"

006

某次下班，一个不太熟的男同事非要送我一箱樱桃。问他什么事，他吞吞吐吐欲言又止，半天也没说出来，但他还是执意把那箱樱桃给我。我有意地把右手中指的婚戒给他看，他也视若无睹。

无功不受禄，我再三推脱，后来一路小跑到校门口，哪知男同事也一路穷追不舍，硬是提着一箱沉甸甸的樱桃追着我到学校门口。

碰巧那天菜花开车接我下班，我一见到车就赶紧招手让他过来，可谁知菜花刚过来，男同事抢先张口："您是她姐夫吧，我是她的同事，这是我从老家带过来的樱桃，你们拿着尝尝吧。"

菜花摸不着头脑，然后对这位男同事挤出那么一丝不大友善的笑，随之打开后备箱，把一箱樱桃扔了进去。

我上车，他踩下油门，车一下就冲了出去，整个动作不超过10秒，简直一气呵成。

我坐在车上，心有怵怵："我不知道他什么意思啊。"

"我是你姐夫，我都看出来了。"

"我们平时不熟，都没怎么说过话，连电话号码都没有。"

"没事，以后就有了。"

"你吃醋了。"

"没有，我只等着吃樱桃。"

"你为什么不过来说你是我老公，或者拉我的手？"

"他都说我是你姐夫了，你姐夫敢拉你的手吗？"

……

正当这情势按捺不住的时候，我的手机叮咚一声，是一个没有名字的短信：

"樱桃是我家自己产的，你就当尝个新鲜。另外一个不情之请，你和郭小云老师关系好，我想追求她还麻烦你多帮帮忙。"

紧接着第二条：

"当面不好意思张口讲，所以短信拜托，感谢！"

接着第三条：

"你也要积极寻觅爱情，下班总麻烦你姐夫不是长久之计！"

我一拍脑门，想起来那天在办公室临走前跟同事郭小云开玩笑说我姐夫接我回家……这可真是个大乌龙啊。

后来那箱樱桃带回家，我没吃几个，剩下的全被菜花吃了，他说那是他应得的报酬，因为那位男同事在短信里说了："下班总麻烦姐夫。"

007

除了正常的在教室上课以外，我们每学期还有几节化学实验操作，要让同学们都去实验室做实验。实验室是公共的，这个班用完了别的班也要用。

某个学期末实验室大清理，当我打开某个实验台的抽屉时，发现抽屉里有好多碎纸条，我掏出来准备扔时多看了一眼，就是多看的这一眼，让我无意间发现了藏在抽屉里的秘密阵地。那些纸条上零零碎碎地写着：

六班的夏梦莹谁认识啊，给我个微信啊。

谁给我介绍个妹子，150xxxxxxxx。

楼上脑残。

5月17日坐这个实验台的人我们一起聚一下吧！

化学老师可比夏梦莹漂亮多了，你直接去加化学老师吧。

楼上的，我怕她朋友圈全是化学方程式。

……

我一边看一边笑，青春无敌啊，这些中学生们的小幻想小憧憬小幼稚在我看来真是美好。我轻轻地把纸条放回去，关上了抽屉。

回家后我把这件事全讲给了菜花，我还说："把那些纸条留在抽屉里，这是青春最美的见证。"

菜花一歪头："难道不是人家说你漂亮，所以你打算放他们一条生路？"

008

在我做老师的第一年元旦前夕，有几个代课的班级给我发来了邀请书，请我在元旦那晚去他们班级表演节目。

我问菜花："表演个什么好呢？"

他略有所思："跑步、下棋、广播体操、配平化学方程式，这些你都很擅长，随便拿来一样表演吧！"

我晕！

　　第二天晚上我下了课回家，刚进家门，就看见系着围裙的菜花从厨房里端了盘菜出来。"赶快洗手准备吃饭，吃完我陪你练。"菜放到餐桌上以后，他转身又进去炒下个菜了。

　　这时我注意到餐桌上有一张A4打印纸，拿起来一看，上面印着舒婷的诗歌《我希望》，打印纸旁边还有一个U盘。

　　我问厨房里的他："U盘里是什么？"

　　他在炒菜显然没听清我问了什么："盘子里是你最喜欢的炒菜花啊，你都不认识我了！"

　　认识你认识你，你把自己炒焦了炖煳了拍成泥再挖个坑埋进去我也照样掘地三尺找到你。我就是为寻你而生的啊。

　　可我明明问的是U盘啊。

　　吃饭的时候，他指指桌子上的打印纸和U盘，建议我表演个诗朗诵，简单又逼格满满，最适合我这种图省事儿又好面子的人了。诗歌和配乐都给我找好了。

　　那晚我俩刚吃完晚饭，我就把餐桌和碗筷都推给他，赶紧开练起来。

　　我希望：他，和我一样，胸中有血，心头有伤。

　　不要什么月圆花好；不要什么笛短箫长；

要穷，穷得像茶；苦中一缕芳香；

要傲，傲得像兰；高挂一脸秋霜；

……

那短短十几行字被我念得越来越慷慨激昂，有那么一瞬间我甚至觉得今生我如果不是化学老师，也一定是个优秀的话剧演员。

菜花抹了桌子，洗了碗筷，站在我旁边看我练，在我朗诵到动情之处时，他会在一边鼓掌叫好。

当时的我就像是一名光荣的共产党员，眉头紧锁，言辞激烈，随时准备慷慨赴义。而他，像是一名意志坚定的人民群众，屏住呼吸，攥紧拳头，随时为共产党员喝彩。

我们都直直地面对着我们共同的敌人——家里那台60寸电视机。

可是说好的陪我练呢？于是在反反复复多次以后……

我："我希望：他，和我一样，胸中有血，心头有伤。"

他："我希望：她，和我一样，收拾碗筷，任劳任怨。"

我："不要什么月圆花好；不要什么笛短箫长！"

他："只要今晚给我捶腿；只要今夜为我捏背！"

我："要穷，穷得像茶，苦中一缕芳香！"

他："晚会，快结束吧，还我一片宁静！"

我："你别捣乱，进房间自己看书去！"

他："我没捣乱，我在认真陪你练习！"

我："我不要你陪我练习，你站在这里我放不开，明天就上台了！"

他："我就站在这里陪你，你在我跟前都放不开，明天怎么办呢！"

拿他没办法，我只好当他不存在，自顾自地练起来，他倒好，每句话都接得天衣无缝。于是，那一晚的诗歌朗诵，我们扣壶长吟，我们抑扬顿挫，我们气势慷慨，我们气贯长虹……

后来表演节目的那天晚上，我在一个班朗诵时，不知怎么的，突然想起那晚陪我练习时的菜花，我站在台上，竟抑制不住地扑哧一笑。

台下的高中生们一下子起了哄，大喊着："再来一个节目再来一个节目！"

我借用起菜花教我的那招："好啊，明天上课我给大家表演配平化学方程式！"伴随着高中生们的一片"吁"声，我火速下台，然后逃之夭夭。

你才是
演技派

001

我这人本来就调皮，按菜花的话来说，我爱"使坏"。

有次我两一起坐公交车去超市，刚上车站定，我就喊了句："看，葵花点穴手！"然后右手的中指和食指并在一起在他胸口戳了两下，还自己配了音效，"啾！啾！"

那一瞬间，我感觉全车人都朝菜花看去，他也是一愣。

三秒过后，菜花竟是一脸着急模样："媳妇儿，快别闹了，这么多人看着呢，快给我解开。"

002

想起一次跟菜花去城郊爬山，山上有个摆着八卦阵算命看手相的，估计躲在这深山老林里一年也遇不到几个人，见我们两路过就以为是大生意来了。

算命的一把拉住我说要给我看手相，我说不需要，他不听，还死死拽着不让我走，说免费给我看，让我先摊开手掌算算再说。

无奈之下，我只好给他看，这算命的叽里呱啦说了一大堆，最后得出个结论：我活不过四十，必须找他破解才行。

去你大爷的！我一怒之下给他说："不好意思啊我现在五十多了！"

菜花也超给力，当场结结实实地喊了我一声妈。

……

现在再想想当时那个算命先生的脸，从额头绿到了脖子。

003

菜花没什么烟瘾，再加上这些年来我在他身边的严格管教，他基本不会想起要抽烟。某次我们一起参加他一个大学同学的婚礼，新郎给他了一包烟，他顺手就塞到了我随身的包里。

在回来的路上，他："老婆老婆我想抽根烟，我好久没抽烟了，都快忘了抽烟是什么感觉了。"

我："哦，不同意。"

他："老婆老婆给我一根嘛，我上次抽烟好像还是一年前同事聚会，王总递了一支，"

我："哦，不同意。"

他："老婆老婆我一年只抽一根哦，今年的机会我想今天用。"

我："哦，不同意。"

他："老婆老婆就一根，他们抽烟都很凶的，我不抽烟就聊不起来。"

我："哦，不同意。"

……

最后我终于同意打开包拿一根烟给他抽，把烟递到他手上时，他的眼睛跟自带散射光一样，唰的一下就亮了。

他一边说着这根烟来之不易，一边哆哆嗦嗦地接过烟，拿到手里还一副拿不稳的样子，就跟讨薪的农民工终于在年终拿到了血汗钱一样……

我说："既然这么珍贵就别抽了，拿回家用相框裱起来做纪念吧。"

004

菜花的大名姓胡，他们公司同事都叫他"大胡"。《琅琊榜》正火的那时候，某房地产公司不知道从哪弄到的他的个人信息和联系方式，给他打电话推销。

销售人员："您好，请问是胡哥吗，打扰您几分钟的时间，我是××房地产公司的，我这里有一个不错的楼盘想向你介绍下。"

菜花："不好意思我没听清，你说什么？"

销售人员："我是xx房地产公司的……"

菜花："上一句。"

销售人员："打扰您几分钟的时间……"

菜花："再上一句。"

销售人员："您好，请问是胡哥吗？"

菜花："我不叫胡歌，我叫梅长苏，人称麒麟才子。"

005

过年的时候家里大扫除，我将擦玻璃的重任交给他，我负责给他递抹布。刚开始两人还配合默契，说说笑笑的，后来大概是擦得累了，他说："如果我是孙悟空就好了，拔根毫毛变出成千上万个猴子，大家一起擦玻璃。"

我说："这太麻烦，还不如让我变成巴拉巴拉小魔仙，手里的仙女棒一挥，玻璃就干净了。"

……

后来不知道他抽了什么风，非要学叮当猫。叮当猫是没手指的，只有一个圆圆的拳头，菜花就开始了一直捏拳头的姿势，我把脏抹布从他的拳头上拿下来，再换了干净抹布挂在他的拳头上，然后我就去卫生间洗脏抹布了，留下他以叮当猫的姿势擦玻璃。

十分钟后，我从卫生间出来……

真想不到他依然在用那个萌萌的拳头擦玻璃，还特认真地哼着歌。忽然他看见我在看他，还特开心地叫我过去："快来快来，你看我学得像不像？"

"像不像是另一回事，总之你学得……挺有耐心的。"

006

隐形的翅膀系列故事一。

某次菜花他们公司调休他放假三天，而工作日我要上班，中午的时候他打来电话说来学校给我送午饭，是他亲手做的，让我中午十二点在学校门口等他。

在学校门口大老远我就看见他提着便当盒走过来了，光看着就觉得香喷喷的，我上前迫不及待地接过便当盒，没想到他虎躯一震，向后一退，捂住自己的脸，颤抖地对我说："你隐形的翅膀打到我了。"

……

故事二。

我们俩一起坐公交车，车上人挺多的，没有空座位。

到了一站，下去了一些人，后排的双人座空出了一个位置，菜花拉着我走到那个座位旁边让我坐下，他站在我旁边。

又过了一站，又下去一些人，我旁边的位置还被占着，但是我后排的双人座也空出了一个位置，我对菜花说："你去我后面坐。"

他说："不去，我就站在这儿。"

我开玩笑："怎么？你要站在这里保护我？"

"谁要保护你了，我只是不想和别人挤在一起坐，怕他们压到我隐形的翅膀。"

他这话一出口，坐在我旁边的中年大叔以一种特诡异的目光看着我们俩……

故事三。

我们家浴室不大，当新婚的干柴烈火褪去以后，我们俩就基本不一起洗澡了。某次我在洗澡，他忽然耍流氓一样跑进卫生间，拉开浴帘，非要挤进来和我一起洗……

我："你要干吗？"

他："我想跟你一起洗。"

我："我们两个人站在这里好挤的。"

他："我想帮你洗。"

我："我自己能搞定啦。"

他："我怕你洗不干净你隐形的翅膀……"

我扑哧一下笑了，然后竟因为这个理由批准他进来了，他进来的时候我还说："你最好离我远点，小心我隐形的翅膀扎到你。"

007

一次我们在商场买衣服，店主是个小伙子。我试了件墨绿色的长裙，站在试衣镜前时，店主赞不绝口："穿上很大气！很有气质！"

这时候店主又转身给菜花说："先生，您爱人真漂亮，这件裙子特别衬她的气质。"

我听得眉开眼笑，虽然裙子贵了点我还是买了下来。

最后结账付钱拎着裙子离开时，菜花对店主伸出了大拇指，"兄弟，你的演技非常到位！"

008

和菜花一起站在地铁上的时候我突发奇想出一个桥段，我想让他配合我演个每个女孩都幻想过的爱情故事。

首先他要装成陌生人问我要电话，然后我很欣喜地告诉他，我每天都坐这趟地铁，每天都希望遇到他，其实我对他才是一见钟情，然后俩人喜极而泣，相拥在一起，静静地享受着围观群众的目瞪口呆和赞叹欢呼。

他说我要演的那个角色难度太大，又是欣喜又是哭泣的，很容易穿帮的。

我问他那怎么办。

他说让我俩把角色交换一下，我演那个要电话的陌生人，他来演那个台词多难度大的。

一言为定。

好戏开始了……

我静静走到菜花身边，低着头装出一副娇羞的样子，尽力让周围的人听到我的台词："你好，我想认识你，我可以知道你的联系方式吗？"

这剧情真是老少咸宜，地铁上的男女老少火辣辣的目光刷刷刷地向我扫来，正当我准备迎接菜花的一场完美表白时，耳边飘来他熟悉的声音。

"对不起，我已经结婚了，我很爱她。"

009

一个偶然的机会我认识一个导演，有次在朋友圈看到导演要拍一部夹杂着青春、玄幻、爱情、武侠的偶像剧，让各路好友帮忙推荐演员。

我推荐菜花去试试镜。他挺帅的，尤其是这几年为了配合我作为一名人民教师的光辉伟岸形象，开始梳起了成熟稳重的大背头，更是帅到人神共愤。

起初他还挺乐意的，可自从得知了导演要拍的是一部前无古人后无来者的旷世大作后，他就各种不情愿了。

"媳妇儿，你要看我演戏，我在家给你演就好了，别让我出去献丑啊。"

"那好啊！现在我是观众，你给我演个《甄嬛传》里的华妃。"

他一翻白眼，眼珠子差点掉出来。

"演个《士兵突击》里的许三多。"

然后他开始喊口号，刚喊两句我就及时制止他，不然楼上楼下的肯定要敲门了。

"最后出个难的，演喜欢我的感觉。"

他站在那里没动，一直看着我，正当我想说"是不是太难了要不要换一个"时，他朝我大声"哇呜"一声，张牙舞爪的吓了我一大跳。我还没反应过来，他又像一摊烂泥一样摊在地上了。

"你这是向剧本抗议啊！"

"我演的就是喜欢你的感觉啊。"

"嗯？"

　　"暖融融的，就像是整个森林里的老虎全都融化成黄油的
感觉。"

我想和你
一起
慢慢变老

001

某次我们俩一起看一档美食节目，看到口水流成河。我缠着菜花让他去小区门口的蛋糕店给我买蛋挞吃，菜花连袜子都没顾得上穿就登上鞋下楼去了，留下我喜滋滋地坐在家里等他回来。

大概十分钟后，外面的一声雷鸣轰隆把我吓了一大跳，还没等我反应过来，瓢泼大雨哗啦啦地开始了。正当我拿着伞准备出门找他时，一拉开门，他正巧回来站在门外，头发上还淌着水。

我让他赶紧进门，我去拿毛巾，他让我快别忙这些，然后他变戏法似的拉开外套的拉链，变出了蛋挞。"我拎着蛋挞走到小区门口的时候开始打雷，然后我把蛋挞放到怀里开始往家狂奔，还好蛋挞没被淋着，你快吃吧。"

我特别心疼："可是你被淋到了啊，早知道就不让你去了。"

他摇摇头："我可不是这个意思。"

"那是什么意思？"

"这雨下得太突然了，我从小区门口跑到楼下也就50米吧。"

我不知道他葫芦里卖什么药："所以你想说，以后出门一定要带伞？"

"我是想说……我该好好练短跑了。"

What？我们在一起都十年了，我怎么还摸不清你的套路？！

002

我和菜花都喜欢做家务，而且我们有合理的分工。他做饭好吃，所以他做饭我洗碗，他说女孩子碰凉水不好，所以他洗衣服我拖地，他个子高，所以我整理桌子他擦柜子。总之我们相得益彰，家里也总是井井有条，干干净净。

有次我们俩躺在床上，然后互相感慨自己爱干净爱劳动的品质都是各自的老妈灌输的，后来就演变成了一场赤裸裸的炫耀老妈洁癖的大赛。

菜花："我家厨房的锅，用手一摸，都摸不出油来。"

我："我家的地上，找不出一根头发来。"

菜花："因为我妈长年累月拖地，我家的地板，硬是薄了一毫米。"

我："我们家肥皂盒里，没有一点儿肥皂的渣滓。"

菜花："我妈经常刷马桶，我家马桶里的水，干净到可以洗脸！"

我："那好啊，今年过年去你家，你用马桶水洗脸给我看！"

菜花："……"

003

有一天下班回来他跟我说，他有个女同事非要拿他手机看他老婆的照片。这个女同事先看了另一个男同事老婆的照片，然后也非要看看我的照片，比比谁的老婆更好看。

"你同事真无聊。"虽然我嘴上这么说，但其实我内心还是有些小好奇。

"然后我就没推辞，就过去把手机屏幕给她看了。"

我迫不及待："然后呢然后呢？"

"没了啊，没然后了啊。"

"啊？"

"女同事看了看就不说话了，然后就走了。"

"就走了？没说什么？"

"就走了啊，她没说什么，不过她拿去给那个男同事也看了看。"

"男同事看了说什么？"

"也没说什么啊。"

我憋不住："为啥啊！"

"还不是因为你太好看了呗，女同事觉得你比她好看，男同事觉得你比她老婆好看，就这样呗。"

"就这样啊！"然后我就笑了，"这事真没营养啊，你给我说这个干吗？"

他说："哈哈，我说这么多就是想让你开心一下子，你看你都笑了，还好意思说这个事没营养！"

004

一次他出去和同事聚会回家很晚，我一直都坐在客厅等他，当我听到楼道口有声音的时候，我一下就辨别出了那是他的脚步声。

于是我火速关了电视关了灯，跑进卧室躺在床上，装作已经睡着的样子。

接着我听到了他将钥匙伸入锁孔的转动声、开门声、换鞋声、蹑手蹑脚进卧室声……每个声音都很轻很小心，然后就突然安静了……像是时间静止了一分钟。

他声音很小："媳妇儿，你睡着了吗？"

我还是沉默着不说话。

他在黑漆漆中一步一步往床边挪，我终于忍不住："没睡着呢！"

"那你说两句话嘛！骂我也成，让我知道床在哪儿。"

005

他睡眠质量超好，据他本人说从来都是一觉到大天亮，我好羡慕他。因为我睡着以后就是一台电影放映机，什么谍战片、青春偶像剧、凶杀案、动物历险记，还有掉了一边眉毛的搞笑恐怖片在我大脑里轮番上演。

有的时候睡得迷糊，一觉醒来我分不清什么才是梦境，什么才是真实。

场景一。

我："现在是早上还是中午？"

菜花："中午。"

我："中午？你中午都是上班不回家的啊，你怎么也在床上睡觉？"

菜花："你做梦傻掉了吧，咱们星球的人都是中午起床喝牛奶吃煎蛋，然后才去上班啊！"

然后我还很努力地坐在床上回想关于我们星球的事……

场景二。

我："啊！吓死我了，我梦到我和海尔弟在一起了，然后你好伤心好难过……"

菜花："你不用好伤心好难过，你确实和海尔弟在一起了。"

我："啊？"

菜花："对不起，我也和杜鹃在一起了。"

反射弧太长，我反应了好半天，然后我拿起桌子上的手机准备拨给海尔弟时，被他扑上来制止了。当然，他也结结实实吃了我送给他的一个，新鲜脑瓜蹦儿。让你胡说！

场景三。

我："老公，我梦到上完小学我们就分开了，你在读高中的时候有个姑娘说喜欢你，你说你喜欢一个外号叫牛魔王的女孩，他们都嘲笑你……"

菜花若有所思："这个……是真的。"

我："哼！我才不信，是我梦到的！"

菜花特认真："可是这件事确实发生过。"

那天醒来时阳光暖烘烘地洒在被子上，可我还是忍不住伸手揍他："谁允许你高中还记得我那个无比难听的牛魔王外号的！"

006

我们家的大床一面靠墙，我睡在靠墙那一侧，他睡在外面。

有次我半夜口渴，想爬起来弄点水喝。于是我特别特别小心地坐起来，又特别特别小心地钻出被子，生怕吵醒他。

就在我准备跨过他下床找水的时候，就听到他迷迷糊糊地说："要喝水吗？水凉了吧，我去烧一点。"

然后就看见他迷迷糊糊地起身去烧水了……眼睛都睁不开地去烧水了……

留下坐在床上还没反应过来的我……

007

有段时间我特别着迷大麻花辫，可无奈我又是手残党，自己没法搞定，只要求助于他。第一天晚上，菜花在我的指挥下完成了扎马尾辫。

我喜滋滋："孺子可教也，大麻花辫之日可趋矣。"

他放下梳子："当然，我动手能力还是很强的。"

"你可别把结论下得太早！"

其实菜花动手能力的确很强，能修插线板，能用挂历纸包书皮，能包饺子能片鱼，还能给黄花丫头扎头发……就差能纳鞋底了。

可我又不禁想起了我爸，我爸是电工出身的工程师，焊电路板、改装线路、修机床……在我的印象中，凡是跟电沾边的事儿无一不精，单位里的人都说我爸动手能力极强。可难倒英雄汉的有两件事，这两件事都是关起门的事：一件是不会给我系红领巾，我小学上了六年，六年时间啊，他都愣没学会；另外一件是炒菜十次能煳十次，后来他索性放弃了炒菜这个技能，心甘情愿地做了一个苦等我妈回家做饭的壮汉。

所以啊，千万不要太早地相信一个人动手能力强，那极有可能是生活还没有找到能欺骗你的地方。

第二天晚上，菜花跟着视频一步步给我编出了大麻花辫。

我笑眯眯："动手能力强，这个称号送给你！"

至于我爸那种……菜花说，我爸那是"局部动手能力强"。

008

菜花是个记忆力特别好的人，或者说，有关我的一切，有时候连我自己都忘记了，他却总能记得清清楚楚。

我们第一次坐高铁的时候，我无意间看到我前排椅子上的座套印着四个闪亮的大字：XX叉车，紧跟着下面留着一串电话号码。然后我看看旁边的座椅套，前排的，再前排的，发现整节车厢的座椅套都印着这个。

原谅我是个好奇宝宝，我转过头问菜花："高铁也叫叉车吗？"

"嗯？什么？"

然后我指了指我前排的座椅套，又问了一遍："高铁也叫叉车吗？"

"哈哈哈哈……"

他笑得我莫名其妙，于是我不得不硬着头皮把这个暴露我智商的问题重复了第三遍："高铁也叫叉车吗？"

"高铁是高铁，叉车是叉车，座椅套上的只是广告，你理解了吗？就跟大巴车座椅套上有不孕不育医院的广告一样，但是这并不意味着大巴车就是医院……"

"……"

说实话，本来我不觉得有什么不好意思，不知者无罪，可当他把这个大巴车的比喻搬出来时，我分分钟觉得我自己是个大脑残疾的儿童。

后来直到下车前，我都是在被迫科普什么是高铁，什么是叉车。等到我终于明白这二者的含义，这件事就算是告一段落了。

大约五六年后，我们一起在家看一档综艺节目叫《挑战不可能》，其中有一期是一位女叉车手挑战用叉车叉起五个啤酒瓶，然后依次放在一根绳子上。

正当最后一个啤酒瓶被叉起在绳子上寻找平衡点时，正当最后的成败即将揭晓时，正当我屏气凝神时……

菜花的一句话刺透了黎明前的宁静："媳妇儿，你觉得她的高铁开得厉害吗？"

009

有一年冬天天气特别冷，我被冻坏了腿，导致我那段时间经常腿疼，那段日子每天下班回到家后菜花就给我倒热水泡脚。

泡完脚以后就给我捏腿，一般是我靠在沙发上，他坐在沙发旁边的椅子上，用毛毯裹好我的一条腿后，然后让我把另一条腿搭在他腿上给我捏。

他捏的每一下都很用力，我疼得哇哇叫唤，让他轻点，可他说用力才有效果，让我忍着点，还是很重地捏。

他一边捏一边心疼我："以后可要多穿点，你腿疼我也疼。"

我怕他担心："没事的，我不怎么疼的。"

"那我也疼。"

"真没关系的，我的腿真的好多了，没那么疼了。"

"我是说捏得我手疼。"

"……"

010

我们过年回老家待着，菜花的小外甥四年级了，老师寒假给布置了一大堆作业。可是小外甥又贪玩得很，过年前天天上网打游戏，过了年又天天缠着我们一群大人打麻将赢钱。最后的结局就是：寒假作业没写完，打游戏没尽兴，打麻将输了一堆钱。

菜花教育了小外甥一个寒假，小外甥都当耳旁风了，最后一次菜花教育他是在开学的前一天晚上。

菜花的教育内容是，寒假结束了，去学校要记得带好以下五样东西：

一包没写的作业，一颗勇敢的心，一具经得起摧残的身体，一张无所畏惧的脸和两只禁得起批评的耳朵。

011

下雨天的早上，菜花送我去上班，看着车窗外的雨水点点，我忽然想起周杰伦的那首歌，"最美的不是下雨天，是曾与你躲过雨的屋檐"，那时候我刚读大学，系里一个男生就给他喜欢的女生唱了这首歌，当时觉得特别浪漫特别美好。

转眼间，十年都过去了。不知道那个男生跟女生最后在一起没有？我只知道，我的身边，他还在。

我转过头，看着他手握方向盘的侧脸，原来这个少年已经陪我走了这么久，他看了我一眼："怎么了？"

"没事，老公你给我唱首歌，浪漫点的。"

然后我就继续看着窗外的车水马龙发呆，回忆那些从前的时光，忽然一阵引吭高歌惊醒我：

"总想对你表白，我的心情是多么豪迈……"

012

菜花工作忙，很多时候都是我一个人待在家而他在上班。我一个人在家无聊的时候会给他发微信，发我吃了什么喝了什么，看了什么电视或者是几点洗了衣服，他一般有空看手机的时候会回复我一下，家庭琐事从不厌烦。

有次我一个人在家上网，看了一个段子觉得挺好笑的，就顺手给他发过去了。

我："人生中总有一些事情是无法控制的。"

他："你想说什么？"

我："找呀找呀找朋友，找到一个好朋友，敬个礼呀握握手，你是我的好朋友。"

他："怎么了？"

我："你试试能不能正常流利地念出来。"

然后他不理我了。

两个小时后……

他："人生中的很多事情是可以自己掌控的。"

我："然后呢？"

他："我能想到最浪漫的事，就是和你一起慢慢变老。"

我："果然啊，我念了一遍，控制住自己没唱出来！"

又过了二十分钟……

他："傻瓜，我是想告诉你啊，我想和你一起慢慢变老。"

那些年，
我是
陪你吵架的
女孩儿

001

我俩还在读大学的时候异地恋，那时候条件艰苦，平时交流沟通什么的都只能打电话，忘了某次因为什么事情在电话里争执起来，总之就是我说我有理，他觉得他有理，两个人都气鼓鼓的，一时闹得气氛好僵。

后来我们一起在电话里沉默了几分钟，我忽然觉得实在没什么可吵的，可又下不了台，就撒娇："快哄哄我吧，不然我真的要生气了。"

他在电话那头"扑哧"一下就笑了。

这事过去大概五六年后，我俩一起参加一个七夕情人节活动，其中一项是情侣两人各自回答一些问卷问题，然后组织方再交换两人的问卷答案。

当我看到在"你的爱人最可爱的瞬间"这个问题下他写了我们从前的这件小事时，眼泪怎么也控制不住了。

002

某次双十一大促销，我打算在网上多买一些化妆品屯着。

他说："别买了，不要屯这些，等现在的用完再买。"

我偏不听，说："现在不买就亏了。"

"你买一堆到后面都用不着才叫亏呢。"

"可现在的价格要比平时便宜好多呢！"

"现在是便宜了，但是又要凌晨十二点抢又要找快递什么的，费精力费神，咱们别凑这热闹了。"

……

总之俩人你一言我一语，互不相让，后来这个关于"买不买"的话题差点上升到了"你舍不舍得为我付出"上。

最后吵得不可开交，我脸色一变，估计他再多说几句我能瞬间哭出一个太平洋来。他见形势不妙，却又骑虎难下，忽然心生一计……他默默退后了两步，一下瘫坐在沙发上，用双手使劲拍打脑门，特别懊恼地说："为什么为什么，为什么我到现在还学不会和长得好看的人交流。"

我一愣，憋着的一口气一下就笑没了。

那天晚上，我早早上床睡觉，留下菜花一个人默默独守在电脑前为我秒杀十二点。

003

刚过了五月，天气开始燥热起来，捂了一冬天的姑娘们也迫不及待地脱下棉裤毛裤，露出两天白花花的大长腿晃荡。

逛街时我挽着菜花的胳膊，前面一个穿红色短裙的女孩扭着屁股走过去，红色很衬她的皮肤，扭扭捏捏的步子也难免让人想入非非，我在菜花耳边不怀好意地轻声说："快看，你左前方有个美女哎！"

谁知这家伙连看都不看："那就是个花瓶。"

醋劲一下就上来了，我说："那你的意思是她很漂亮呗，比我漂亮？"

"没有，和你比差远了，你是装了农家肥的花瓶，不仅漂亮还很有内涵！"

这句话夸得我笑吟吟的，但当我真正想明白时……等等！你这是夸我吗？你怎么夸得我这么想抽你！

004

去年我在网上买了个黑色斜挎包，不得不说，人和人的眼光是不一样的，我觉得小巧精致的包拿给菜花看，他只觉得巨丑无比，还打赌我买回来绝对背不超过三次。

前几天我又指着那个斜挎包问他："说真的，你现在觉得这个包好看吗？"

他若有所思了一阵子，内心大概是进行了一场激烈的博弈，最后他说："是不是你想让我说不好看，然后你就可以顺理成章地买新的了，其实我觉得还挺好看的。"

我问："真的挺好看吗？"

"真的。"

"嗯，我也觉得挺好看的，所以我打算再买个粉色的。"

他一下睁大了眼，简直不相信自己中了我的圈套，大呼："满满的都是套路，防不胜防啊！"

005

晚上下班后我俩一起看电视剧，我拿出一袋瓜子出来，一边嗑一边跟他聊剧情，他一脸嫌弃："你这么喜欢嗑瓜子，直接买瓜子仁得了。"

我摇摇头："那可不行，我享受的是嗑瓜子的过程。"

他听完一脸兴奋地坐起来，一副奸计得逞的样子："等的就是你这句话，那你把瓜子仁嗑出来给我，你享受嗑瓜子的过程。"

真是人生处处有陷阱啊……

006

有段时间他在手机上下了个APP，说可以用这个APP养个手机宠物，还建议让我也下载个，然后一起养，最后让两只宠物结婚什么的。我赶紧挥手："可别！我们家有你一个少女心就够了！"

他不理我，兴冲冲地在手机里养了个宠物牛，要多丑有多丑，起名"牛魔王小姐"。

我生气："干吗叫这个名字，换了！"

"不换！让它叫和你一样的名字，多可爱。"

"难听死了！"

"真没见过你这样的人！竟然说你自己的名字难听！"

"……"

后来反正不管我怎么生气，他就是不换。

刚养了宠物牛的那段时间，他心劲还挺大，每天照顾宠物牛，还充钱给宠物牛买什么宠物软床，晚上还举着手机给宠物牛写什么成长日记，写完还让我点评点评。

我看着那一大串的关于宠物牛吃喝拉撒的流水账，就笑得岔气。"菜花老先生，你爸你妈知道你玩的这一套吗？"

他倒是喜滋滋地跟我讲："这个小牛就是你，我这么好好照顾你，我爸我妈肯定举双手赞成啊。"

真是无力反驳。

后来一次我俩生闷气，他就不理我了，但是每晚到固定时间还是举着手机写那个日记，只是也不让我看了。

就这么持续了两天，我们学校办晚会，我问他要不要一起去，这家伙到这时候还傲娇着呢，眼皮也不抬："去啊，免费的晚会肯定去看啊。"

看晚会的时候我俩才算和好,他拿出手机让我点评点评他写的这几天的成长日记。真是好无奈啊,我拿过手机,看见最近的一篇写的是:

明天晚上我老婆要带我出去看晚会啦,我明天没空写你啦。

······

这家伙,真是好幼稚啊!

007

我和菜花在一起这么几年,真正生气吵架的时候很少。海尔弟向他取经如何面对女人生气,菜花说,哄女人,三分强攻,七分智取,剩下九十分看运气······

日常对话一。

我:"知道我为什么不开心吗?"

他:"知道。"

我:"为什么?"

他:"因为我不知道你为什么不开心。"

我："恭喜你！答对了，我不生气了我们去吃好吃的吧！"

他："真的是幸福来得太突然……"

日常对话二。

他做了某件事让我很不开心。

我："你这事做的……我真的好想打你。"

他特严肃地走到我跟前，就跟要慷慨就义的人民英雄一样；"你打我吧，你有能耐就打死我，不然我今天就把你的搓衣板跪断。"

日常对话三。

我们俩闹小别扭，晚上睡觉的时候我又抱了一床被子，暗示他各睡各的，我们互不打扰！

谁知这家伙一关灯，偷偷摸摸地摸到我被子里来，还悄悄把手放到我腰上，我装作睡熟了，他怎么动我都没反应。

后来他忍不住了，说："老婆老婆，你再不醒来我就要偷吃你的口红了啊。"

"我口红在梳妆台上，要吃就吃那个粉红的，那个最便宜了……"

008

我特讨厌他喝酒，喝完酒总是一身酒味臭烘烘的。

过年的时候我们一起回我家，晚上的时候我爸妈，还有我和菜花四个人一起看电视，看着看着菜花说节目太无聊，我爸也跟风说这节目是给女人看的，他们俩男人要一起出去转转。

我本来心里还在想，外面天那么冷，还刮着风，你俩大男人有什么转的，不过一小时后俩人一起回到家时那股味道让我总算是明白了，菜花和我爸一起出去喝酒了！

估计是喝了个酣畅淋漓，他们刚一进门，我脸就阴沉下来了，问菜花："你怎么喝酒去了？"

他肯定早猜到了回家后我又要教训他，就早早买通了我爸，他用一种求助的目光看着我爸，果然啊，我爸挺身而出："我让他喝的酒，怎么了！"

这救兵搬的好啊，我爸的话怼得我没脾气。

我妈那时候已经休息了，不知怎么醒来，她在卧室大喊："他们回来了啊，怎么有酒味啊？叫你爸来给我捏捏肩膀！"

我爸顿时酒醒了大半，他迅速朝卧室走去，菜花一把抱住我爸的胳膊："不能走啊，你走了我怎么办？"

我爸推开菜花的胳膊："你自己多保重吧。"说完，连头也不回地就走了。任凭菜花再怎么叫他，我爸也没从卧室出来，留下他一人独自面对我的批评教育……

第二天，估计是我爸也挨训了，他在饭桌上给菜花上了生动形象的一课："你不能总想着搬救兵啊，自己的老婆要自己搞定，别人帮不了你的……"

这话说的，真是寂寞如雪啊……

009

上个周五，海尔弟约我和菜花晚上一起去他家吃饭，我让菜花下班后来我们学校门口接我，然后我们一起去。

下了课，我简单收拾了下就往校门外走，途经篮球场的时候看到一群男孩子们在打球，汗湿了他们的衬衫，贴在后背上。那一刻正是盛夏的傍晚，天空中晚霞开得正好，蝉还在不知疲倦地叫唤，这个夏天过去好像还会有无数个夏天。

我就站在那里定定地看了一会儿。

正当我发呆的时候，忽然一个篮球朝我飞来，我赶紧往边上一闪，球恰好被我身后的人一把接住。

我转头，菜花又很利索地把球扔给那群男孩。身边传来几个看球的女孩稀稀拉拉笑的声音。

坐回车里，他埋怨我："我在门口等了你半天了，你在那儿看球。"

"就走到那儿看了一会儿，没多久。"

给海尔弟拨了个电话说我们快到后，我又问他："你在那儿看了我多久？"

他还在赌气："谁看你啦，我也在那儿看球呢。"

我笑他都多大了，说话还是跟小孩子一样。

他说没多大，快三十而已。

那一瞬间，我才忽然意识到原来我们长大了这么多，也一起走了这么久。

我转过头看着他："我好想像那群男孩女孩一样，十六七岁，我在场下抱着你的校服看你打球，你投中了球会看我一眼，然后对着我傻笑。"

"我可不想，回到十六七岁，我还要重新追你一遍。"

我笑："那你还会追我吗？这么多年过去你难道不想换换口味？"

他忽然严肃起来："那以后还有许多年呢，难道你想换换口味了？"

"不想不想。"

往后的三五十年，路途遥远，我还是想和你一起走。

我们
可不可以
不长大

001

牛欢欢去了英国留学后，我们就只是偶尔通过微信或者QQ联系了。

聊得并不很多，只是有时候闲了草草说几句话。她会跟我讲讲异国他乡的生活，她说她觉得外面的生活的确奇妙，可她还是一到晚上就想家，她也讲她爸妈为了供她读书，除了开花店外还四处打着零工，讲那个从不打扫卫生的欧洲室友，有时候会领不同的男朋友回家过夜，偶尔也讲讲我们永远也回不去的高中时光。

我们不再聊学习了，因为我已经参加工作，不再是趴在课桌上写字的小女孩，我们也从不聊爱情，因为她已经二十五岁了，却还是孑然一身。

一直到她即将回国的前两个月，她忽然告诉我："我恋爱了。"

我在地球的另一端欢呼沸腾起来："快！照片照片！"

"他不帅。"

"我要照片又不是来犯花痴的，帅不帅不重要，对你好就够了。"

然后她发来一张照片……

我瞪着这张照片愣了足足有十秒。这个男人的确不帅，并且已经不帅地超出了我的认知范围！

我噼里啪啦狂打字："你确定这不是我家楼下卖羊肉串的买买提大叔？这络腮胡子可以拖地了！"

正准备发出去时，她发来微笑的表情。

我想想，又删了那一段话，改成："你们怎么在一起的？"

"他是中东人，一次从学校回家的路上突然下了雨，我没带伞，躲在路边避雨想办法怎么回去时，他看到了我，就送我回家了。后来我们就认识了，经常一起吃饭一起聊天，就在一起了。"

牛欢欢显然没懂我的意思，我直接问："我是说，他是怎么追到你的？"

"我追他的。"

我真是欲哭无泪："为什么追他？"

"因为我喜欢他啊，就跟当初你在火车上给你的菜花发短信，问他你们可不可以在一起一样，你为什么要发短信？因为你喜欢他，你喜欢他，你就会主动，我也一样。"

"我喜欢他"这四个字真是太有杀伤力了啊，什么多金、有才、帅气，这些词语在喜欢面前统统不值一提，只有喜欢，才是在一起的唯一理由啊。

002

牛欢欢回国后，直接回到了我们从前生活的小城，顺利进入一所银行做上了令人羡慕的工作。她爸妈也不再打零工，优哉游哉地打理着他们家原来的花店。

她成为我们那个小城里"别人家孩子"的模范代表。

可我始终想问却不敢开口问的一句话是："你的中东男朋友呢？"

回想当年我和菜花的异地恋费心费力，已经够让我们褪一层皮了，这种跨国恋岂不是自己主动引火上身？

后来一个假期我回家，她偷偷告诉我："我们还在一起呢，他现在在广州上班。"

我睁大了眼睛："什么？你告诉我一个中东人在英国上学，然后为了一个中国人跑来广州上班？"

她让我小声点，别这么激动："是啊，我回国两个月后他就毕业了，毕业以后就想来中国，广州那边有合适的工作，他就留在广州了。"

"那他打算什么时候回国？"

"他不回去啊，他打算过段时间来我们这个城市找工作。"

我彻底凌乱了，半年前牛欢欢还跟我抱怨她就快二十六了，马上就要迈入大龄剩女的行列了；半年后的现在，她忽然摇身一变，变成玛丽苏女主角，还和一个中东大胡子谈起了跨国恋爱。

导演！赶紧给牛欢欢换剧本，这种浓浓的晚八点档狗血情感剧我实在不能忍了！

003

牛欢欢她妈很快就发现了她的秘密。

她妈妈怎么会忍呢，怎么会忍自己如花似玉的女儿和一个看上去比自己爹还老的男人谈恋爱呢，还谈得缠绵悱恻！

有那么一段时间，牛欢欢被"软禁"了，每天除了上班时间被允许外出外，其余时间一律待在家里或者花店，由她爸妈轮流看管。那段日子，两位老人家就怕一个不小心，她们辛勤栽培的女儿偷偷溜去广州找那个中东大胡子。

那段时间，她连正常的同事聚会都很少参与。那些同事们还一度以为她性格孤僻，甚至还有点人际交往障碍。

其实他们不知道的是，牛欢欢和她的大胡子在一起的时候，她一点儿也不沉默，简直可以说是开朗活泼。

僵持的后来呢。

后来，她就和大胡子说了分手，是在短信里说的，连一个电话都没拨过去。

大胡子回短信说会一直等她，然后就这样又过了半年，他又发短信说自己离开广州回国去了。

再后来就彻底断了联系。

在我看来，这哪里是分手和诀别啊，真正的道别是没有道别的。回想中学毕业时离开教室的最后一天，那些跟你连招呼也来不及打就草草离开的同窗们，你们是不是后来也不再有什么来往和联系了？

真正心甘情愿的道别，根本无需说出来，而愿意为离别画一个句号，才是恋恋不舍的表现啊。

我问牛欢欢："你还想他吗？"

她笑了，笑得很自然，像是什么也没发生过一样。

004

那段严加看管的时间里，牛欢欢的妈妈也紧锣密鼓地安排起了女儿的相亲事业，她前前后后见过了我们小城里为她精挑细选的二三十个适婚男青年。

按牛欢欢的话说，那段时间她把我们小城里几乎所有的咖啡厅都去了个遍，甚至有几家咖啡厅的侍应都认识她了。

所有的相亲者里，牛欢欢的妈妈最中意做土木生意的那个男人，他家境好，学历高，还经常去牛欢欢家里的花店买花来送给欢欢，总之很会讨她妈妈的欢心。

可牛欢欢不喜欢他，私下里叫他土木男，"真的是又土又木"。

据她说，第一次约会的时候她刚和大胡子分手，心情挺低落的，对男人提不起什么精神。这个土木男倒也细心，在饭桌上看牛欢欢一直走神，气氛尴尬，就主动找话题聊。

他第一次问的是牛欢欢大学在哪里读的，然后她如实回答了。

接着就迎来了土木男一阵腥风血雨的笑声，他边笑边说："我高考前给自己暗暗下了个目标，最差也要考上那所大学，如果没考上我就再读一年高三，你猜是哪所大学？"

牛欢欢对这个无聊的问题根本不在意，她摇摇头："不知道。"

土木男笑得上气不接下气："就是你那个大学啊，好巧吧哈哈……"

005

牛欢欢在上个月结婚了，是和她在同一个办公室的来自小县城的一个男人。那个男人长得没牛欢欢高，学历也没她高，唯一比她高的大概只有眼镜度数了。

可这有什么关系呢，牛欢欢想，在这个世界上，能真心诚意地爱上谁已经够不容易了，谁还有更多的心思去关注其他的呢。

有了上次的中东大胡子做对比，牛欢欢的妈妈这次倒也不再阻拦什么，只要女儿愿意就好。

婚礼是我和菜花一起去的，牛欢欢自始至终都紧紧拉着那个男人的手，从她看他的眼神里，我想她是爱他的。

他们一起敬酒的时候，那个男人替她喝了所有的酒，喝得面颊绯红，喝得和酒桌上不认识的男人们称兄道弟，喝得得罪了当天所有来访的姑娘们，他站在大厅搂着牛欢欢，特别大声地宣布：“今天来的姑娘们，没有一个比牛欢欢好看的！”

当时牛欢欢的脸，刷的一下红到了脖子，但也是那一刹那间，她眼角的笑，一下子荡漾开来。

那晚酒宴结束后，那个男人可能因为喝醉了就早早睡了，我在接近凌晨的时候接到牛欢欢打来的电话：“原来这样就结婚了啊。”

我笑笑：“是啊。”

她在电话那头沉默了半分钟，然后说：“我以为我不会再爱谁。”

我知道她想起了大胡子："你还记得他吗？"

"以前记得，过了今天就不会记得了。"

"人长大总要忘记一些事情。"

她在电话那头忽然哭了："我们可不可以不长大。"

那个
把爱藏在
薄荷味
香烟里的人

001

牛青青来找我的时候，我正在学校上早上第一节课。

那节课下课后我往办公室方向走，还没走到就远远地看见门卫大叔站在办公室门口向我招手，我小跑过去，他特别着急："小田老师啊，你快去学校门口看看，一个女的，哭得稀里哗啦的，说要找你。"

"女的？找我？"

"是找你啊，问她找你什么事她也不肯说，就说要见你。"

我一边问一边往校门口跑，门卫大叔紧紧跟在我后面，一边跑一边喘，还不忘劝我："小田老师，遇事一定要冷静，男人嘛，就是那么回事，有些事情睁一只眼闭一只眼就过去了。"

我的天，门卫大叔他在想些什么？他该不会以为我家菜花在外面拈花惹草，然后我被小三找上门来了吧？大叔你是都市情感剧看多了吧！

其实那会儿，我心里压根没想着这个来找我的女人和菜花有什么关系，我们相识十六年，又风风火火恋爱九年，如今这个男人早上醒来头发会往哪边倒，他吃什么牌子的番茄酱会拉肚子，他穿哪双鞋要垫鞋垫，穿哪双鞋又不垫我都一清二楚，他离开我？难道他是想生活不能自理吗？

002

在小跑去校门口的路上，我唯一好奇的是，来找我的这个女人她是谁。

是我的大学同学吗？一定不是啊，我们彼此认识的时候就已经步入成年，同住在一起的四年，她们个个活得光鲜亮丽，即便内心有些烦闷和无奈，成年人的世界也告诉她们：不要用眼泪来告诉别人我很难过。

是牛青青吗？那也不会啊，她正和那个程川甜甜蜜蜜呢，那个程川是个富二代，整天给牛青青送这送那的，牛青青每天要在朋友圈虐狗十八次，连我这样有稳定感情生活的人都恨不得要屏蔽她了。

那会是牛欢欢吗？那时候她刚和大胡子分手，可她正被爸妈"软禁"在家啊，难不成她长了翅膀飞出来？

门卫大叔一路跟着我喋喋不休，好言相劝，好像他有预感：校门口即将上演一场关于男人占有权的旷世大谈判，然而谈判不成，我一怒之下冲上去甩给那个女人一记响亮的耳光。

可那些狗血事怎么会发生呢？

那个站在校门口一身狼狈的。

她是牛青青啊！

003

我打电话喊菜花来接我和牛青青一起回家。

菜花坐前面开车，我和她一起坐在后排。我问她发生了什么事，她不说话，还是抽抽搭搭地止不住。我看见她被头发遮住的半边脸颊，在她的一抽一泣中隐隐约约露出来，终于忍不住愤怒："他凭什么打你？"

话音刚落的那一瞬间我能感觉到车顿了一下，应该是菜花轻踩了下刹车，然后他把音响打开，放了那一张我俩以前都觉得很吵，差点就要扔掉的唱片。

"他没打我。"牛青青的声音被唱片声盖住，只有我看见她摇头。

"你胡说，你护着他干什么，你脸上这青一块的是什么？"

她很诧异地从脸上抹了一下，然后一手青黑："是妆花掉了。"

004

牛青青在香港读了一年研究生，然后就进入了上海某金融机构，程川是她在香港读书时的同学。

那时候她可是我们三个里生活得最滋润的。

那时候菜花为了我放弃了北京的高薪工作跑来南京，但找的新工作又和我上班的地方隔了一个半小时的公交车距离。而牛欢欢在异国他乡的夜里想家，毕业的日子遥遥无期，没有爱情也没有陪伴。只有牛青青，程川天天地请她吃那些她从前在我们小城里从没见过的食物，那些味道谈不上好吃，也谈不上不好吃，但总归不是一些家常的味道。

到上海工作以后，牛青青有时候会给我打电话，有时候也跑来南京在我家住两天。

她看我和菜花在家里斗嘴，只觉得好笑，她说我们之间都是小打小闹，而她和程川倒是经常争论，或者吵架。

他们把世间能用来吵架的鸡毛蒜皮的小事全都吵了一遍，就在我们以为他们再也没有什么值得吵架的事情时，牛青青坐在车里告诉我说："我们分手了。"

005

牛青青活得多骄傲啊。

她高中的时候坐在我旁边，总是默默无闻地学习，她把那些只需要记住的公式统统演算一遍，她把那些老师说的那些太难了不用过分追究的难题统统抄到一个小本子上带回家研究。那时候有班里的小女生说她活得太谨慎太紧张，她连反驳都懒得反驳。

她大学的时候被同班的一个男生喜欢，那个男生是别的姑娘口中的男神，坐在教室里就跟自带引力似的，引得那些姑娘们齐刷刷地向他看。可这些和牛青青又毫无关系啊，她不喜欢的她从不沾染，她也都拒绝别人把自己和那些不相干的人八卦到一起，她拒绝的方式也从来不是反对，或者愤怒，从来都只是远离和沉默。

她就是这么骄傲，她从来都是用自己的态度来处理自己的生活。

连和程川的分手，也是牛青青自己提出来的。

006

昨天夜里9点，程川向她求婚。

他约好牛青青在一家法式餐厅见面，在侍应上了菜单以后，他像以前一样一把拿过菜单，替她点了许多他认为的她会喜欢的食物。

他从来都是这样包办牛青青的生活啊。

他开他的跑车在别的同事羡慕的眼光中接她下班，她在牛青青说工作很累的时候，从来的解决方式都是简单粗暴，没有安慰没有鼓励，而是让牛青青别去上那个朝九晚五的班了。他让牛青青安心坐在家里，像他住在那片私人别墅区的富太太们一样，不用为每天的生活奔波，也不用提着菜篮子出门买菜。

她忽然觉得这一切好陌生，就连她早已习惯了的他来安排她吃什么的宠溺，都让她觉得陌生。

程川在切牛排的间隙问她："青青你爱我吗？"

"爱。"

"那青青，我们结婚吧。"

牛青青迟疑了下："好。"

今天凌晨五点，牛青青在程川的身边惊醒。

她做了一个噩梦，她梦到她在读高中，她兢兢业业地做题、演算，为一道解不出的数学题抓破了脑袋，她越着急越抓，越抓越着急，最后鲜血糊了她一手。

然后程川突然出现了，他抱紧牛青青，他让她不要再抓自己的脑袋了，他说这些事不用伤脑筋，牛青青跟他在一起，不用去知道这个椭圆的离心率是多少，不用知道辛亥革命是哪年爆发的，不用知道脱离第三宇宙速度的时候会发生什么，她只需要坐在家里就好。

她一下子惊醒，从床上坐起来，一身冷汗。

程川还在她身旁熟睡。

她悄悄从床上爬下来，换上一件她在香港读书时自己买的衣服，化淡妆，定了从上海到南京的高铁票，在我上早上第一节课的时候，出现在我们学校大门外。

她说她一出车站到了南京她就哭了。

她明明知道没什么好难过的，可她就是想哭，好像只有哭这个动作才能彻底宣泄她的压抑。

她在离开家前，给桌子上留下一张字条：我在最后一刻发现，你给我的并不是我想要的生活。

007

一直到我写牛青青的故事时，牛青青还是那个永远踩着五厘米高跟鞋，穿着刚好到膝盖的及膝裙，永远奔走在二十六度中央空调下的女白领。

后来她也谈过几次恋爱，每次的男主人公出场时都很诚恳，可最后他们也以各种形式退场。

她现在的恋人是一位医生，医生比牛青青年长六岁。

牛青青和程川在一起的时候，有记日记的习惯，后来日记本也一直跟着她搬了家。她的确是不舍得扔掉，不过不是因为那大半本里都是和程川有关的故事，而是那本日记本里，藏了她足足四年的青春和成长。

一次医生在牛青青家里无意间翻到了这本笔记本，她站在一旁笑："你想看就看吧。"

医生翻起来，看了很久。牛青青说她看医生翻日记本的表情，不是愤怒，也不是欣喜，失望吗？无奈吗？好像也都不是。

她甚至又做好了离开的准备，那些成长过后的伤痛像厚厚的茧一样包裹着她。她已经不再是从前那个和程川分手后站在我们学校门口哭得稀里哗啦的她了。

医生把日记本轻轻合上："你这样爱他一定很累吧，我不会让你这么累的。"

她说她在那一瞬间，决定此生要和医生一起走。

"所有的人都以为我离开程川是昏了头了，只有他懂那时的我。"

008

不过医生也有自己的毛病，他烟瘾很大，可牛青青最讨厌烟味，怕这是唯一一点他们此生都无法调和的矛盾。

牛青青给医生洗衣服的时候，在医生的口袋里掏出三包香烟，一包软中华，一包苏烟，一包薄荷味香烟。

医生轻描淡写："这包是我和朋友在一起时抽的，这包是我一个人的时候抽的，这包是和你在一起的时候抽的。"

最后一包，是薄荷味香烟。

**最美的
时光，
最好的
我们**

001

有一年夏天他去出差，本来说是第二天回来，结果前一天工作刚一结束他就马不停蹄地赶回来了，出了火车站又直接拎着行李来我们学校找我。

我在校门口见他的时候激动坏了，一下扑到他怀里。"说好的明天回来，怎么今天就回来了？"

他吻我的额头："工作赶完了，想最快的一秒见到你呀。"

奇怪，明明都相爱十年了，听完他这话我怎么还跟刚谈恋爱的小姑娘一样，心扑通扑通的，脸一下红到脖子根。

他叫："哎呀你脸红啦！"

我赶紧不好意思地打岔："你看你都晒黑啦！"

"是啊，我这都是为了暗中保护你。"

002

前两天我和菜花一起站在公交站牌等公交车的时候，旁边一个四五岁样子的小女孩也和她爸爸站在那里。

小女孩很调皮，可能是玩了一天很累，胖嘟嘟的她非要坐在地上。她爸爸紧紧拉着她的手不让她坐，她又偏要往地上躺，好不容易被拉起来，她又要往台阶上坐。总之她爸爸手忙脚乱，一点也招架不住这个活宝。

我偷偷地在一边笑，菜花说："这要是我女儿，打一顿就好了。"

可说归说，菜花还是从包里掏出几张不用的文件纸，垫在地上，然后蹲下来告诉小女孩："地上脏，所以你爸爸不许你坐，现在有干净的纸了，你可以坐在纸上了。"

然后小女孩乖乖地坐在了纸上，她爸爸也对菜花投以感激的目光。

我们和小女孩等的不是一辆公交车，我们上车时，小女孩还对我们挥手拜拜。

在车上我笑他："说好的打一顿呢？"

"毕竟不是我女儿哎。"

菜花这个人就是这样，嘴里一套，做的又是另一套，嘴里从不留情，可是做起来，又让人觉得，这个男人原来可以这么温柔。

003

也是一次我们坐公交车的时候，我们俩一起坐在最后一排靠窗的位置听歌。那天天空湛蓝湛蓝的，有像棉花糖一样的云朵挤在天空。音乐响起，是周杰伦的《七里香》。

……

秋刀鱼的滋味猫跟你都想了解

初恋的香味就这样被我们寻回

那温暖的阳光像刚摘的新鲜草莓

你说你舍不得吃掉这一种感觉

……

听着听着我就睡着了，我靠在他身边，再一眨眼，我们已经走过了大半个城市。

后来我只记得那个早上，有零散的风和暗红色的晨光，将我们的身影都拉得很长很长，长到我一生都不想走出去。

004

上个假期我们一起回老家，我给菜花的小外甥辅导作业，是一个话题作文，话题是成长。

忽然一下子特别感慨，那些年里，海尔弟还没有重新遇到杜鹃，牛欢欢想着如何去广州找中东大胡子，牛青青也还没有离开程川，可那些年过去后，一切就都变了。

而有幸的是，一场梦醒来，他还站在我身边。

那晚躺在床上，关了灯漆黑漆黑的，我问菜花："如果让你给成长这个词语造句，你怎么造？"

一会儿过后，他的声音笑眯眯地传来："等我变成长颈鹿，你就只能够到我的膝盖啦。"

"这算什么造句？哪里有成长这个词啊。"

"你仔细听。"

"我仔细听了，没有啊。"

"等我变成长颈鹿。"

"你再说一遍。"

"等我变成长颈鹿。"

我躺在床上要笑岔气了："那你变吧。"

那晚的后来，他对我说："成长的路上，会认识很多的人，会发生很多的事，这些我都没关系，只要让我知道在这条路上会一直有你，那就够了。"

005

菜花他们公司组织秋游，去一个森林公园度假，他带着我一起去。那晚我俩一起背靠着背在山谷里看天空。

他问我："你喜欢月亮吗？"

"喜欢啊。"

"那我才不要摘下来给你呢。"

"为什么啊？"

"没有月亮的夜空，星星会好孤独的。"

他又问我："你喜欢星星吗？"

"喜欢啊。"

"那我也不要摘下来给你。"

"为什么啊？"

"我要把它们藏进眼睛里，每天对着你bling bling。"

其实有的时候浪漫是挺简单的一回事儿，看他努力地想让我开心，就是最浪漫的事儿。

006

昨晚我做了一场梦。

梦到这个夏天过后，还有无数个自动拷贝保存的夏天。周六的下午我和牛青青一起去楼下的面包店吃红豆刨冰，她趴在我耳边告诉我说医生向她求婚了。海尔弟打来电话，问我杜鹃要过生日，该给她准备怎样一个惊喜。牛欢欢生了个儿子，每天睡前给他讲那些我们小时候听过的童话。

我们后来又一起遭遇了很多很多故事，可是在我身边，一直有一个风和日丽的你。

我醒来时，天刚蒙蒙亮，一切奇妙的旅途好像也才刚刚开始，我在心里隐隐觉得，那些我们一直惴惴不安又充满好奇的未来，会是很明亮很明亮的。

我看着他熟睡的侧脸和翘翘的睫毛。

那一瞬间，我觉得，这就是最美的时光，和最好的我们。

图书在版编目（ＣＩＰ）数据

我们相爱，就是为民除害 / 牛魔王小姐著. —北京：
中国友谊出版公司，2016.7
ISBN 978-7-5057-3801-0

Ⅰ．①我… Ⅱ．①牛… Ⅲ．①长篇小说－中国－当代
Ⅳ．①I247.5

中国版本图书馆CIP数据核字(2016)第172867号

书名	**我们相爱，就是为民除害**
作者	牛魔王小姐
出版	中国友谊出版公司
发行	中国友谊出版公司
经销	新华书店
印刷	东莞市信誉印刷有限公司
规格	880×1230毫米　32开
	9.5印张　180千字
版次	2016年8月第1版
印次	2016年8月第1次印刷
书号	ISBN 978-7-5057-3801-0
定价	34.80元
地址	北京市朝阳区西坝河南里17号楼
邮编	100028
电话	（010）64668676